# MAE
# THEOMEMPHUS
# YN HEN

# MAE THEOMEMPHUS YN HEN

## Nofel / Cerdd

### DAFYDD ROWLANDS

*Christopher Davies*
*Abertawe*

Cyhoeddwyd gyntaf ym 1977 gan
Christopher Davies (Cyhoeddwyr) Cyf
4/5 Thomas Row
Abertawe. SA1 1NJ

*Argraffwyd gan
Wasg Salesbury Cyf
Llandybïe, Rhydaman
Dyfed*

ISBN 0 7154 0433 4

I'r
meibion
Geraint, Trystan, ac Euros

Dymunaf ddiolch i Gyngor Celfyddydau Cymru am yr ysgoloriaeth a'm galluogodd i ymryddhau o'm gwaith beunyddiol a chael cyfle i ysgrifennu'r rhan fwyaf o'r nofel hon, ac i Dr. Kate Roberts am ganiatâd i ddefnyddio'i geiriau yn deitl i'r nofel.

Dychmygol yw'r rhan fwyaf o gymeriadau a
digwyddiadau'r gwaith hwn.

"Mae Theomemphus yn hen o ran oed ond yn
newydd o hyd."

Kate Roberts yn ATGOFION 1

"Fe redodd y llyfr hwn allan o'm hysbryd
fel dwfr o ffynnon, neu we'r pryf copyn o'i fol ei hun."

Pantycelyn (Rhagymadrodd THEOMEMPHUS)

Roedd ganddi ddwylo uffernol o fawr, fel dwylo llabwst o ddyn caib a rhaw, dwylo trwchus, trymion. A'r ffedog honno, fel ffedog mam-gu Primrose Row yn llun y teulu 'slawer dydd, carthen drom o ffedog lydan, ddu, a'r hen wraig fel petai hi wedi camu allan o un o ddramâu Synge, dramâu celyd y mawn a'r môr a litanïau'r pedwar gwynt, dramâu'r pridd ar droed y golomen wen. Roedd yr olygfa'n taro i'r dim—y bwthyn un-llawr bychan, a nenfwd isel yr ystafell yn gwasgu'r tywyllwch fel nos i'r corneli. Roedd bord hir ar ganol y llawr, a'r pren wedi ei sgwrio'n wyn fel y carlwm, bord addas i gyrff hallt y meibion petai ganddi feibion yn forwyr. Fe'i gwelswn ar lwyfan, yn drist wrth draed y llanc marw, a llafargwynfan y gwragedd yn codi o hiraeth y dŵr. Maurya ydoedd, yn hen ar ynysoedd Aran, gwraig rychlwyd mewn ffedog ddu.

*Da chi 'machgen i* meddai, *danfonwch i mi gopi o'r llun.* A'r deigryn araf, perlyn gwan igam-ogam, yn serennu yng ngwyll ei chegin.

*Shw' mae'i! Rwy'i wedi galw i weld a ydy'r lluniau 'na'n barod.*

Rhyfedd bod llun yn golygu cymaint iddi; nid oedd y fynwent, a'r bedd ei hun, ond ychydig filltiroedd i ffwrdd. Mae milltir, mae'n debyg, yn fwy na milltir pan fo hen weddw yn sach gwag o flinder.

*Y papur? O . . . y papur â rhif y ffilm arno. Na, does genn'i ddim syniad ble mae hwnnw, mae arna'i ofn. Mae'r plant yn bwyta pethau fel'ny yn tŷ ni! Ond rwy'n cofio i mi ddod â'r ffilm i chi ryw fis yn ôl. Rhaid bod gyda chi ryw gownt ohono.*

Mae ganddo gyfrif am bopeth, mi fentraf. Onid gŵr felly ydyw? Gŵr a'i lyfrau cownt yn solet gywir o sgwâr, mor berffaith gytbwys â'r silffoedd taclus yna y tu ôl iddo. Os gellir coelio chwedloniaeth liwgar tafodau'r cwm, mae ganddo gryn annibendod yn ei system nerfol, neu ble bynnag mae'r synhwyrau'n trigo. Ond mae ganddo drefn ddilychwin yn ei siop. Mor filitaraidd ufudd yw'r camerâu disglair. Rhesi ar resi ohonynt, fel llygaid llonydd agored, llygaid effro colli-dim, llygaid yr ysbïwyr y tu ôl i'r llenni ysgafn sy'n guddfan rhwng bysedd a bawd. Golygon cul Miss Ifans, Tŷ Cornel—*a'th lygad manwl treiddio mae i eigion calon dyn*—hen ast egr fusnesgar. Llygaid y duwiau diawledig—cyrcydant yn hyll fel llyffantod ar y wal o'm cwmpas, wal uchel y carchar. Ac yno yn eu plith mae helgi'r nefoedd yn ei goler Dewch-at-Iesu gwyn, a fflam ei anadl yn boeth ar fy ngwar yn labrinthau chwyslyd yr ymguddio amhosib'. Fe'm daliodd unwaith, y tu ôl i'r festri, yn nhŷ-bach y capel, yn tynnu wrth hanner sigarèt mab Lena Davies y Gof. A'r Sul canlynol, yn oedfa'r plant—

*Nawr 'te John bach,* yr hen lais pwyllog trioglyd, *beth yw dy adnod di heddiw?*

Aberthais iddo'n betrus yr adnod na ddeallwn mohoni.

*Chwiliaist ac adnabuost fi.*

*Da iawn John bach. Adnod newydd mi welaf.*

Mi welaf, myn diawl! Mi welaf . . . mi welaf . . . mi welaf bopeth . . . popeth . . . hyd yn oed drwy ddrws clo tŷ-bach y capel. Crechwen mewn siwt ddu. Llwynog angladdol—a dwy sefydlog fflam ei lygaid arnaf—y camerâu colli-dim. Rhesi ar resi o gamerâu, silffoedd ar silffoedd o daclau glân, yn gymen, rhy gymen o lawer, yn eu disgleirdeb di-draul.

*Mi edrycha'i, ond byddai'n haws petaech chi heb golli'r papur.*

Dere, gad dy seians.

*Mae yn ddrwg genn'i.*

Fe wyddost yn iawn eu bod nhw yno, mewn amlen amryliw, a'm henw ar y clawr. Yr enw mwyaf mawr erioed a glywyd sôn yn y lle pitw busneslyd hwn. Jôc! Jôc wyf innau, jôc a dirgelwch. Rhai'n deall, eraill yn gwatwar. Rwy'n eryr, colomen, a chigfran. Sgwarnogod y gymdogaeth! Drueiniaid y llawr! Gogwyddwch eich clustiau plwm at neges y gerdd. Mae'r enw ynddo'i hun yn gerdd. Gelwir ei enw ef Rhyfeddol!

Rawlins—rhyfeddod a gwyrth y llechweddau hyn! Rawlins myn yffarn i! Enw trychinebus i fardd o Gymro. John Rawlins y dewin geiriau! O eiriau braf! Fflamiwch ar fy nhafod! Dos, y gwasgwr-botwm sidêt, dos i chwilio rhwng llinellau caeth dy lyfrau cownt. Edrych am yr enw anghyffredin, yr enw gwahanol. Lewis bach! Y fath enw di-sut, digyffro, a diafael. Gwilym Lewis, Ffotograffydd. Y fath handlen ddigyffro. Tynnwyd lluniau'r briodas gan Mr. Lewis, Stiwdio March-y-plwyf. Anrhydedd i ŵr camera—Urdd y Wisg Wen i Gwilym Lewis. Ei enw yng Ngorsedd—Gwilym ap Codac. Dere'r milgi cloff, rho dy bawen yn y bocs. Maen nhw yno yn rhywle, ugain o luniau lliw, delweddau'r hyn a gollwyd yn yr haul, patrymau'r eiliadau marw ar sgwarau papur, yr wynebau a gododd drwy hylif yr heipo i wenu am byth ar gerdyn.

*Pryd, dd'wedsoch chi, ddaethoch chi â nhw i mewn?*

*Ryw fis yn ôl . . . rhywbeth felly.*

*Mm . . . Dydyn nhw ddim yma beth bynnag. Mi a'i i'r cefn i edrych.*

Y cefn! Y lle sydd o'r golŵg! Bath sydd yno tybed yng nghilfachau yr ystafell dawel dywyll, annwfn y chwantau a chywilydd. Dangos i mi beth sydd yno. Beth sydd genn'ti yn nirgelwch y gwawl sy'n crogi am y llusern coch? Y pethau cudd, y cyfrinachau mewn cypyrddau clo, pecyn y dirgelion ar astell isaf dy gell, fel trysor fy hiraethau innau, hiraethau'r gwaelod oll sy'n rhy ddwfn i'r golau, nadredd y cyflychwr oesol.

*Dyma nhw! Ugain o luniau lliw. Rhai da iawn hefyd os ca'i ddweud.*

O wel, rwy'i dipyn o artist ar y botwm wyddost ti. Gwybod pryd i wasgu, a ble wrth gwrs.

*Does genn'i ddim camera da iawn, ond mae e'n gwneud y tro—snaps y teulu a rhyw bethau felly.*

Llun Gwen yn ymseboni ym mhersawr y trochion; llun agos y cornwydydd porffor ar wegil wncwl John y Rhos; llun mam-gu Moc Ochor Draw pan oeddwn i'n grwt, mam-gu fy ffrind ar sêt tŷ-bach. Roedd hi'n hen, hen ac yn ddall, a gadawai ddrws y sianti ar agor led y pen.

*Lluniau'ch gwyliau chi?*

*Ie, rhyw luniau dynso'ni yn Iwerddon fis Gorffennaf.*

*'Fuoch chi yn Iwerddon! Roeddech chi'n mentro!*

Cadno yn chwilio cyfle, cyfle i sôn am ei bythefnos ei hun yn Sbaen, fe a'i gamera a'i finociwlars ar draethau'r crwyn euraid a chyrff yr haul ... Ar ryw brydnhawngwaith teg o ha hir felyn tesog cymmerais hynt i'r Costa de Sol a chydami Spienddrych i helpu 'ngolwg egwan i weled pell yn agos, a phethau bychain yn fawr, fawr, fawr. 'Run fath â Wil Bach y Gelli 'slawer dydd yng nghoed deiliog Glanrhyd. 'Studio'r adar, meddai Wil yn ei wrid o'r tu ôl i lwyn rhododendron, ac ugain llath rhyngddo a'r pâr ifanc oedd yn mela'i gilydd mewn gwewyr yn y gwair twym wrth bompren yr afon.

*Yn y de fuo'ni, lawr yn y gwaelod; roedd hi'n ddigon saff yno.*

*'Fuoch chi yn Sbaen erioed?*

Â'n dychymyg yn drên ...

*Naddo, ddim yn Sbaen.*

*Dyna chi le bendigedig. 'Fues i yno eleni, am bythefnos—yn Alicante. Hedfan o Gaerdydd ...*

... A dyma ni yno!

Paid â bod yn hir yn dy stori. Rwy'i am weld y lluniau—y llun i Maurya ar ynysoedd Aran, llun y bedd, y garreg isel dan y tyfiant chwyn. A llun y fynwent dawel y buo'ni mor hir yn dod o hyd iddi, mynwent y plwyf ar gwr y pentref. Llun y bwthyn yng nghoed yr abaty, abaty glaslwyd fel palas hudol afreal yn y bryniau. A'r weddw yn ei ffedog ddu. Da chi 'machgen i, meddai, danfonwch i mi gopi o'r llun. A'r mab a ddymunai fod, nid yn forwr fel Bartley, ond yn fynach; mab yr un oed â mi, a weithiai ar fferm yr abaty. Roedd ganddo dipyn o ffordd i'w thramwyo—o sied gynnes y ffowls i gell anghynnes y brawd llwyd. Wrth ei fodd, meddai'i fam, yn trin a thrafod yr adar a golchi'r wyau. Miliynau o wyau mewn bocsus dirifedi, yn barod ar gyfer y brecwastau plygeiniol, prydau bwyd y clychau rhwng y tyrau tal. Bwyd peryglus i fynachod dan lw diweirdeb.

Wyau i'w gwerthu efallai, i greaduriaid egnïol fel Lewis y ffoto-graffydd.

*. . . mae'n ddoeth gwneud trefniadau flwyddyn ymlaen llaw. Dyna 'mhrofiad i beth bynnag. Mae cymaint yn croesi'r dŵr erbyn hyn, pob Tom, Dic, a Harri. Ond hyd y gwn i does dim llawer yn mynd i Sweden. Bydd yn hyfryd darganfod lle newydd, a lle mor wahanol.*

Gwn yn iawn beth sydd yn Sgandinafia i ti!

*Bydd yn wahanol iawn i Sbaen mae'n siŵr.*

Gwilym ar goll yn fforest y llywethau glân goleubryd, yn feddw ar win y llygaid gleision, yn wallgof noethlymun yn ffantasmagoria'r caru yn y coed rhydd, yn gryf fel Samson rhwng colofnau'r cnawd.

*Dwy'i ddim yn meddwl bod genn'i ddigon o newid. Does gyda chi ddim llai na phapur pumpunt?*

*Na, mae'n ddrwg genn'i.*

*Arhoswch chi, efallai bod genn'i ddigon yn y pwrs 'ma.*

Mae genn'ti fwy na digon yn dy bwrs, cwdyn diwaelod yr haelaf o'n gwŷr busnes—fyth yn llawn er rhoi o hyd. Nid arian chwaith. Had gwyllt y gwaed ar reddfau y gwynt. Y ffoto-graffydd a aeth allan i hau.

*Dyma chi . . .*

Cefais fy newid i'r ddimai, dim mwy, dim llai, a'r lluniau. Ac yno yng nghanol y pecyn yr oedd yr un llun yr oeddwn mor awyddus i'w weld. Roedd hi'n dechrau nosi pan ddaethom ni at y fynwent, a doedd y golau ddim yn dda. Ond roedd manylion y llun yn ddigon eglur—y garreg arw o lwyd tywyll, ac arni mewn llythrennau duon digysur yr un enw, enw Gwyddel na wyddwn i ddim byd amdano, ond enw er hynny a roddodd i mi deimlad tebyg i wefr. O dan yr enw naddesid dyddiad pendant ei farw—Rhagfyr 13eg, 1956.

Fe gâi'r hen weddw ei chopi o'r llun. Ac fe gâi bleser o ryw fath wrth ddal enw difywyd ei gŵr yn y dwylo trymion a rhoi deigryn arall yn seren i wyll ei chegin.

Rhyw glebran rhwng dwy ddarlith, dyna ddechrau'r peth. Y clebran gwag a diffrwyth hwnnw sy'n arafu'r tafod pan fydd rhywun wedi syrffedu'n lân ar undonedd ei rigol. Fe ddaw'r profiad hwnnw'n lled aml erbyn hyn wrth lusgo'r meddwl i gyfeiriad y blynyddoedd crablyd. Pwyswn yn erbyn y peiriant coffi yn sipian o gwpan plastig y rhyfeddod a fragwyd mewn pibellau otomatig, priodas annedwydd y powdwr a'r dŵr. Hiraethai'r ddau ohonom yn druenus gwynfanllyd am ddiwedd y sesiwn.

*Beth am fynd i Iwerddon?*

Llwyd â fflach sydyn o weledigaeth.

*Wythnos ar lan y môr yn rhywle. Bwthyn bach yn Kerry neu Galway. Digon o lonydd, digon o fwyd a gwin, a mynd â llwyth o bapur gyda ni. Beth amdani?*

Gwyliwn y myfyrwyr yn dianc yn orymdaith aflêr drwy ddrws y cyntedd at yr haul. Mor braf yw eu diofalwch anniben a disebon. Maen nhw'n llyncu grantiau cyfain yn wythnosau cyntaf y tymor mewn ymdrech deg i ddiwallu syched anniwall yn nhafarnau'r dre, ac yna, mewn tlodi ardderchog, y tlodi chwedlonol sy'n rhoi min ar y meddwl, maen nhw'n treulio gweddill y tymor yn chwilio'n welw am y Gwirionedd. O leiaf, dyna'r ddelfryd ffansïol sy'n cynnal y ddrama gomic. Chwythais yn ysgafn i'r coffi poeth a di-flas.

*Mae hynny'n swnio'n ddymunol dros ben.*

Roedd y syniad o ddianc yn apelio. Dychmygwn lecyn tawel a diarffordd rhwng mynydd a môr, a'r cyfle i ddarllen ac ysgrifennu, i gerdded, bwyta, yfed, a chysgu. Byddai ychydig ddyddiau felly yn nefoedd ar ôl penyd darllen a marcio papurau arholiad a chyflwr stŵn y cramp meddyliol sy'n dilyn hynny. Byddai'n dda cael newid byd. A mynd cyn bod yr ysgolion yn cau, cyn bod y plant yn dechrau ar eu gwyliau hwythau—yr wythnosau hir hynny o sŵn diddiwedd a thyndra yn y chwarae a'r cweryla sgrechlyd. Byddai'n dda datod y rhwymau cyn hynny.

*Darbwyllo Gwen fyddai'r broblem!*

Mae'n rhaid bod rhywbeth yng nghyfansoddiad merched sy'n peri bod gwragedd am berchenogi pob anadliad o eiddo'u gwŷr. Pam mae'n rhaid iddyn nhw gredu bod pob dyn priod, pan fydd e oddi cartref am flwyddyn neu awr, yn neidio'n ddirwystr i wely dieithr a'i gladdu'i hun ym mynwes afradlon rhyw hoeden dinboeth ddigywilydd?

*Gad y cwbl i fi. Siarada'i gyda Gwen.*

Mae hynny'n nodweddiadol o Llwyd. Mor blydi sicr ohono'i hun; yr hunanhyder yn diferu ohono. Ond styfnigrwydd eiddigus fyddai peidio â chydnabod bod ganddo ffordd gyda merched, ffordd sy'n ddirgelwch i mi ac i bob dyn arall mae'n debyg, ond ffordd hynod o lwyddiannus er hynny. Mae e'n bump a deugain—yr oedran ansicr hwnnw pan fo'r rhan fwyaf ohonom yn dechrau meddwl am roi trefn ar ein polisïau yswiriant—ac yn ddibriod. Yn ei waith ni allai neb fod yn fwy o lwyddiant, a hynny er ei fod yn anhygoel o ddi-drefn a dihidio. Rhan o'r ddelwedd yw'r diffyg hwnnw, rhyw ffaeledd a greodd Llwyd yn ofalus gyfrwys iddo'i hun. Dyn ydyw sy'n trefnu ei anhrefn a chreu aflerwch nad yw'n rhoi cyfle i neb ei rwydo. Mae pob cwlwm yn datod cyn ei dynnu at ei gilydd, fel cortynnau yn llaw plentyn bach. Llaes yw ei berthynas â phawb; llac iawn ei berthynas â merched. Dyna pam mae'n dal yn sengl ac yn ogoneddus annibynnol. Ac eto, o dan y cyfan, mae ganddo hudlath anweledig, swyngyfaredd y dewin, magnet sy'n denu merched o bob oed.

Fe siaradodd gyda Gwen, a dyna ni! Dim problem!

*Cer* meddai, *fe fydd yn newid i ti. A chyfle da i ti orffen dy nofel.*

Gorffen dy nofel! Mor rhwydd â hynny. Fel prynu torth, fel pego dillad ar lein. 'Run fath â Mrs. Ewart amser rhyfel. Gwau a darllen yr un pryd. Roedd hi'n gallu gwau pâr o sanau i gynhesu traed sythlyd rhyw filwr crynedig yn rhywle a darllen nofel gyfan—a hynny bob nos. Ond eu darllen nhw oedd hi, nid eu hysgrifennu nhw. Mae Gwen yn darllen gormod hefyd. Fe welodd yn rhywle fod Scott wedi cwblhau *Guy Mannering* o fewn chwech wythnos, ac fe gred bellach fod pob llenor mor athletig frwd â hwnnw, a bod ysgrifennu nofel mor ddiffwdan naturiol â golchi llestri brecwast. Ond cydsynio sydd orau bob amser. Bod yn llwfr a dweud ie, er mai nage sy'n llechu rhwng y dannedd.

*Fe allwn wneud tipyn mae'n debyg. Dwy'i ddim yn siŵr ynglŷn â gorffen y peth.*

Wedi goresgyn y broblem o sicrhau bendith ymddangosiadol Gwen, a chael sicrwydd hefyd na fyddai dau blentyn anystywallt yn ormod o ofid iddi, fe gytunwyd ar fynd i Iwerddon. Gan fod Llwyd yn deithiwr profiadol fe gafodd yntau'r fraint o drefnu'r cyfan—ysgrifennu a gohebu, rhentu bwthyn, talu ernes, tocynnau bad, popeth. Fe wnaeth bopeth, yn ôl ei arfer, yn uffernol anobeithiol o ddi-drefn.

*Dwy'i ddim wedi cael bwthyn* meddai, wrth alw amdanaf y bore hwnnw yng Ngorffennaf, *ond paid â phoeni. Fe gawn ni le yn rhywle.*

Doedd e ddim wedi gwneud unrhyw drefniant o gwbl. Roedd holl fanylion y daith mor amhendant annelwig â chwythiad tin chwannen rhwng dwy daran. Yr unig ffaith ddiogel oedd ein bod o leiaf yn mynd i gyfeiriad Iwerddon a bod môr yn Abergwaun. Yr wyf i, fel pawb arall, yn derbyn fel rhan anorfod o gymeriad Llwyd bethau na allwn mo'u goddef mewn person llai hoffus.

Safai Gwen a'r plant yn ffrâm y drws, yn drindod anghyfan o deulu. Anghyfan, anghytbwys, am mai mam a'i phlant oedd yno. Y teulu heb y tad.

Pan ddaw hi'n amser ymadael nid wyf yn hoffi'r camu hwnnw dros y trothwy. Gohiriwr wyf ar bob ffin. Ni wn paham. Y galon ry feddal efallai? Nage. Mi wn paham.

Cusan hir, rhy amlwg o hir, i Gwen, a chofleidio'r plant. Claddu fy mhen yn ddwl yn eu mynwesau, fel petawn yn mynd heb fwriadu dychwelyd. Hen deimlad od y diawl yw'r teimlad hwnnw. Teimlad y milwr y gwelswn ei lun mewn llyfr pan oeddwn yn grwt, milwr llwythog mewn lifrai o liw'r llaid yn codi ei blentyn cyrliog at yr haul cyn mynd at y machlud yn ffosydd Ffrainc.

> Far I hear the bugle blow
> To call me where I would not go.

A thabyrddau Jac yr Undeb yn canu yn y cwm.

Ond mynd ar wyliau yr oeddwn i, ymbellhau dros dro.

Y rhybudd tadol—

*Byddwch chi'ch dau yn blant da i mama.*

Ac yna mynd

*Fe gei di yrru, os wyt ti am.*

Gorchymyn, nid gwahoddiad. Gorchymyn yn swnio fel gwahoddiad. Y teyrn eto. Teyrn haelionus, ond teyrn er hynny. Dyna'i gyfrinach efallai.

Ac felly, fe yrrais. Gyrru'n gyflym iawn am fod Llwyd wedi cyrraedd yn hwyr ac am fod yn gas gennyf lygaid fy nheulu ar fy ngwegil. Gyrru i bellter Abergwaun.

Sbardun o dan fy nhroed dde; hwn sy'n gwneud y bwlch yn fwy, y bwlch rhyngof a'm plant, y bwlch rhyngof a'm gwraig. Pellter. Dibwys yw pellter rhwng coeden a chraig, rhwng mynydd a môr. Dieflig rhwng deugnawd.

Gwasgu'r sbardun ac ymestyn y pellter.

Hunllef i mi yw awyren; breuddwyd baradwysaidd yw bad. Mae cerdded dros y tarmac at yr anghenfil ysgeler sy'n canu grwndi maleisus wrth dderbyn y gwybed-ddynion diymadferth i'w grombil yn weithred sy'n moelyd fy stumog cyn codi modfedd o'r man lle dylai gwadnau fod. Ac ni all holl ogoniant y gwefr o weld oddi tanaf, yn gyfandir o eira, wlân moethus y cymylau yn nisgleirdeb yr haul fod yn ddigon o wobr am fentro ar antur mor enbyd â honno sy'n llusgo dyn gerfydd ei gylla rhwng daear a nef.

Gwahanol yw llong ar fôr. Gellir ymlacio'n esmwyth wrth ymroi i rithmau dwfn y dŵr, a cherdded yn hamddenol i'r bar am beint.

'Oes 'no rywbeth sy'n fwy dymunol na hyn d'wed ti?'

Dim cyffrad o gyfeiriad Llwyd. Dim. Dim ond chwyth ysgafn ei anadl, a'i ên yn berffaith ddiddig ar ei frest, fel hen fam-gu yr oesoedd yn hepian yn ei chadair-siglo.

Dec llong ar fôr llonydd, a'r haul yn dwym ar dalcen. Dyma beth yw bod yn rhydd, yn rhydd fel yr awel ar fynydd y Baran!

Telynega â'r wal. Gwastraffu'r awen. Perlau o flaen y moch. Llwyd fel pwdin. Llithrasai ychydig funudau ynghynt drwy eiriau'r llyfr trwchus ar ei arffed i bydew gwlân-cotwm o gwsg ysgafn, yr hanner-cwsg dymunol sy'n denu dyn o'i bendwmpian, lle mae lleisiau'n ymbellhau fel gwylanod yn y gwynt. Mae Llwyd yn medru gwneud hynny'n rhwydd; llithro'n dawel o afael y lleisiau, cysgu am funud neu ddwy, a deffro'r eilwaith i gynefindra sŵn. Tybed ai dysgu'r grefft a wnaeth—fel y dysgodd reolau ei ddiffyg trefn—a'i meithrin yn rhyw fath o ymarfer meddyliol yng nghanol prysurdeb annormal ei fywyd, prysurdeb sy'n ei daflu o'r naill ben o Gymru i'r llall a hanner ffordd o gylch y byd. Fe allai fod yn wendid yn y gwaed, rhyw ddiogi bach diniwed. Fe'i gwelais droeon yn dianc felly. Dyrnaid ohonom yn yr Ystafell Gyffredin yn doethinebu, yn ôl arfer tiwtoriaid coleg, am bethau mwyaf dibwys y bydysawd. Llwyd yn y cwmni, ac yna—Llwyd wedi mynd, wedi diflannu'n sydyn a llwyr yn yr ysbryd y tu hwnt i len drwchus sy'n cau allan acenion cras pob sgwrs ofer ac anniddorol. Mae ganddo guddfan hudol lygad-agored sy'n ei ddiogelu rhag annifyrrwch yr annymunol agos. Fe all ddianc heb symud, dianc i mewn i'w bresenoldeb absennol ei hun, fel draenog.

Byddai'n dda gennyf pe gallwn innau gilio felly. Ymddallu ac ymfyddaru, tynnu'r llen a chau'r drws, lladd y llygaid, llof-ruddio'r lleisiau, a dianc i dawelwch yr hanner-cwsg dymunol lle nad oes na llygad na llais, cymdogion busnesgar, beirniaid sbeitlyd, pobl, lle nad oes ond distawrwydd yr hunan. A pha mor gymhleth bynnag y bo'r enaid unig, gellir ymfwytho'n felys, yn gell ar wahân . . . .

Rhaid fy mod yn dair o leiaf. Mae'r cof mor fyw, mor syn-hwyrus o glir, fel paentiad a'i olew'n codi'n grafiadau pendant dan gyffwrdd ysgafn croen y llaw. Rhyfedd y synhwyrau sy'n tonni drwy lefelau'r cof. Arogleuon y pydredd dail ar y llwybrau gwlyb, sawr y mwg araf yn gyffur o domen y prennau llosg rhwng cangen a chlawdd ar lethr y berllan, gogleisio'r glaw annelwig o'r môr yn halltu'r coed a dyfai'n dal o gwmpas y tŷ mawr. Callestr y lloriau yn gwthio drwy wadnau'r esgidiau am fy nhraed, cerrig bychain boliog a hirsgwar y beili an-wastad yng nghefn y tŷ, a llais y wrach a'm herlidiai ar ei sodlau metel.

*Aros di* meddai, *mi ddalia'i di!*
Nid gwrach mohoni, ond gwraig ganol-oed o'r enw Miss Hughes. Ni allaf gofio siâp ei hwyneb, ond rhaid ei fod yn siarp ac onglog fel wyneb rheibes gas, ddiolwg. Roedd dwy ohonynt, dwy Miss Hughes, yn berchenogion tŷ crand ar lan y môr ym Mhenrhyn Gŵyr. Dwy chwaer oeddent, dwy awdures gefnog yn ysgrifennu llyfrau plant. Wyddwn i mo hynny ar y pryd. Nid oeddwn ond plentyn yn brasgamu dros y beili mewn hunllef o

afael gwrach, plentyn yn rhedeg at bellter diogelwch ei dad ym mhen-draw'r ardd.

Roedd hynny yn nyddiau araf a gwag y Dirwasgiad, dyddiau y byw diafael ar fara syml y dôl. Dal llygoden a'i bwyta, dyna'r drefn meddai mam. Doedd neb yn mynd i'r gwaith am a wyddem ni'r plant lleiaf. Roedd pawb, medden nhw, yn pego. Gêm oedd pego, gêm a chwaraeid gan ddynion segur ar sgwâr y pentref yng nghysgod y staciau di-fwg. Roedd y nosau, hyd yn oed i grwt bach yn ei wely, yn annaturiol dawel yn absenoldeb sŵn tapo'r ffwrneisi a sŵn dynion wrth eu gwaith, dynion a'r moroedd metel yn berwi'n boeth yn eu llygaid. Yn nistawrwydd y gwaith stîl, yn llonyddwch afreal y melinau alcam, âi gwadnau'r gweithwyr yn ysgafnach a theneuach, a threulio fel papur wrth grafu'r pafin yn nghiw diflas y dôl.

Daeth fy nhad ryw fore yn ôl i'r tŷ, ac o dan ei geseiliau bâr o esgidiau trymion, esgidiau newydd o ledr du, caled fel haearn. Fe'i cofiaf yn tynnu'r careiau hir drwy gylchau pres y tyllau, a mam yn arllwys cwpaned o de iddo, fel petai ganddynt rywbeth i'w ddathlu. Ni ddeallwn y gwefr yn eu siarad, dim ond deall bod fy nhad wedi cael gwaith. Gwaith fel garddwr mewn tŷ mawr ym Mhenrhyn Gŵyr.

A dyna'r ddwy flynedd dan gronglwyd y bonedd, dan nenfwd yr awyr asur uwch y traeth agored.

Glynai'r pridd yn grystiau melyn wrth sodlau'r garddwr newydd, maldodwr y gwair yn seintwar y pîn, y ceidwad a grymai'n werinaidd rhwng dawns y petalau twym ac awelon yr heli. Carwn ei wylied yn gwasgu'i droed ar ysgwydd y bâl, troi sgwâr o bridd, a'i hollti â llafn ei erfyn. Plygai nawr ac yn y man i chwilio'r ddaear, ymsythu'n araf, a thaflu abwydyn tew at naid sydyn fy nhraed. Roedd chwerthin bryd hynny yn beth mor braf rhwng tad a mab.

Yn y tŷ mawr, yn ddwfn o wres yr haul, gwthiai fy mam ei bysedd ansicr i gilfachau gwynion ornamentau'r parlyrau, yn ofnus ofalus i gylchau'r dolenni brau, i gudd lecynnau'r llwch. Llawforwyn ydoedd, yn ufudd i dincial y clychau pryfoclyd ar wal ei chegin.

Rhedai lawnt ar oledd o wyneb coch y tŷ at y mur cadarn. Y tu draw i'r meini trwchus roedd y traeth. Yno y'm gosodid ym moreau'r haul, yn ddarn bychan o gnawd mewn cap cotwm gwyn, i ddysgu amynedd ar ehangder y tywod Trwy waelod y cwpan llaw âi'r oriau'n llif cynnes, yn rhaeadr araf o ronynnau melyn, yn gawod denau ar groen meddalwch y noethni corff, y corff hwn o gnawd.

Gelltydd ar begynau'r bae, a'r ewyn yn tasgu rhwng llechweddau'r dail. Yn fy llygaid plentyn does neb i droedio'n fyw dros ysgafn rigolau'r trai, patrymau y sigl dŵr yng ngwaelod y llanw. Gwynt, haul, cerrig llwydion, a gwylanod, heb dorcalon yr odlau telyn. Y plentyn hwn ar ei ben ei hun, ei fawd yn chwilio'i fogail, ei fys yn darganfod y smotyn baw rhwng bysedd y traed. A neb yn gweld, o wastatrwydd y môr dall, bleser y bachgen yn nyfnder y blodau cerrig ar rimyn y dŵr, pleser y gwacter gwyn, y pellter agored at orwel y bae.

Ond ar y beili caled, y llais cras—

*Aros di! Mi ddalia'i di!*

Mor bell oedd y dyn saff ym mhen-draw'r ardd, o'r golwg yn llwyni'r pridd. Mor bell i redeg ato o afael y bysedd crafangus, y gwenwyn coch yn diferu o ewinedd y wrach.

*. . . Dd'wedest ti rywbeth?*

Y draenog-ddyn yn graddol-ddeffro o bleser y gaeafu byr.

*Dd'wedes i rywbeth bum munud yn ôl, ond roeddit ti'n rhy bell i glywed dim.*

*Beth dd'wedest ti 'te?*

*Chofia'i ddim . . . Dim byd o bwys . . . Rhywbeth am ddianc, am gael y traed yn rhydd.*

Tynnodd ei sbectol haul a glanhau'r gwydrau tywyll â'i hances.

*Ti a dy ddianc! Rwyt ti'n sôn o hyd ac o hyd am yr awydd 'ma i gilio, am ryw guddfan unig ar ynys baradwysaidd bell, yr Afallon deg nad yw hi ddim yn bod, a weles i neb erioed sy'n fwy dedwydd ar ei aelwyd ei hun!*

Doedd Llwyd ddim ymhell o'i le. Cartref ac aelwyd, cegin a chwts-dan-stâr, clydwch y cynefin diogel. Dyna waelod pob dedwyddwch o bwys. Gwrid y ddawns sydd rhwng y glo yn bywiocáu'r petalau ar y papur-wal cyfarwydd; Gwen yn slwmbran ym mlinder braf y gadair-esmwyth; wynebau'r plant yn gelfyddyd ar glustogau'r plu. A'r muriau, muriau hen a solet a chymrwd tair neu bedair cenhedlaeth yn dal y meini yn eu lle, yn gynnes rhyngom ac oerni eraill. Hynny yw ystyr y cyfan sydd ynom.

*Dere! Anghofia'r dianc. Mae'n bryd i ni gael diferyn.*

Cododd, yn bwyllog urddasol, fel pendefig yng ngŵydd ei wŷr llys, rhoi'i sbectol haul yn ei lle, cydio yn ei lyfr—llyfr trwm ysgolheigaidd yr olwg nid rhyw ysgafnwaith clawr-meddal—a throi i gyfeiriad y drws agored a arweiniai i hanner-tywyllwch coridorau'r bad. Doedd genn'i ddim dewis; fel Seimon fab Jona, rhaid, rhaid oedd ei ddilyn ef!

*Gin a Thonic, os gwelwch yn dda, a Scotch.*

Eisteddasom rhwng dwy ffenestr. Ar wyneb y ford gron rhedai'r llynnoedd bach diod yn batrymau hylif â phob codiad ton, a thrwy wydr y ffenestri crynion roedd symudiadau rhithmig y darn gorwel yn chwarae gêm bryfoclyd â'm stumog.

*'Oes genn'ti syniad ble cawn ni le i gysgu heno?*

Cwestiwn ofer wrth gwrs. Gwyddwn wrth ofyn beth fyddai'r ateb. Ond yr oedd yn fodd i mi dynnu fy meddwl oddi ar y gorwel rhwyfus.

*Na, dwy'i ddim wedi meddwl am y peth, a dweud y gwir.*

Swniai fel aelod o banel ar lwyfan.

*Mae gwesty reit dda yn Rosslare, os dwy'n cofio'n iawn. Fe alle'ni aros yno am noswaith, ac yna cychwyn yn gynnar 'fory i gyfeiriad i gorllewin.*

*Ti a dy orllewin; rwyt ti'n swnio fel un o fois y tywydd!*

*Dyna 'ti ramant 'y machan i! Y gorllewin gwyllt yn nannedd Iwerydd. Dyna dy ddihangfa di—dihangfa berffaith.*

Caeodd un llygad ac, fel ci-bwtsiwr cysglyd, edrych drwy'r llall ar y diodyn di-liw yng ngwaelod ei wydr.

Ni allwn ymatal rhag ychwanegu at y siarad ffansïol.

*Beth am ramantu mwy 'te? Darganfod rhyw bentref bach cerdyn-post, a chael bwthyn yn rhad—bwthyn to-gwellt a*

*gwyngalchog a rhosynnau coch yn dringo am y drws—bwthyn
ac ynddo forwyn lân, lygatddu. Gwell fyth—bwthyn a dwy
forwyn!*

*Anghofia'r forwyn. Dod i weithio wnaetho'ni cofia. Nid trip
mercheta yw'r trip 'ma. Llenydda, dyna'n busnes ni, Llenydda,
hamddena dipyn efallai, ond dim o dy gwrcatha di!*

Y dyn sengl oedd yn llefaru nawr, yr un sy'n cael ei ferched yn
lled aml ac yn hawdd ddiffwdan, y math o ddyn sy'n gallu
fforddio anghofio am wefrau diflanedig hen gyplu pell am fod
ganddo hyder am ias eto mewn yfory newydd.

*Wel, mae merched Iwerddon yn hoff iawn o gael estron i'w
caru medden nhw. Mae'r Gwyddelod am ryw reswm neu'i
gilydd yn anobeithiol yn y gwely.*

Neidiodd Llwyd yn fyw o waelod ei wydr.

*Ble clywaist ti hynny?*

*Ei ddarllen e yn rhywle.*

Doedd hynny ddim yn wir; ei glywed e gan rywun a
wneuthum, mae'n debyg, ei glywed e rywbryd gan ryw wag
hollwybodus yn un o'r seiadau nos Sadwrn hynny pan oeddem
yn ifanc a'n bywyd yn un ymchwil i drysorfeydd y cnawd.

*Rwyt ti'n darllen gormod. A mwy na hynny, rwyt ti'n credu
popeth ddarlleni di.*

*Ie . . . wel . . . dwy'i ddim yn gallu teithio i bobman fel ti.
Rwy'n gorfod dibynnu ar lyfrau a dy raglenni teledu di! Dyna
sydd genn'i—gwybodaeth ail-law anniddorol, profiadau pobl
eraill, pobl mwy ffodus na myfi fy hun.*

Ffugiodd Llwyd ryw lais pregethwrol fel oracl anffaeledig.

*Fy mab, fy mab, paid â chwennych pleser y teithiwr—rhith
yw'r cyfan.*

Ac yna, mewn llais normal a di-liw—

*Mae'r rhan fwyaf o'r teithiau rydw i'n eu gwneud yn uffernol
o ddiflas. A bod yn onest, rwy'i wedi cael llond bol ar grwydro.*

Llwyd wedi cael digon? Roedd yn anodd credu hynny.
Llwyd y teithiwr, y dyn â'r byd gwareiddiedig yn labeli papur
drwyddi-draw ar ledr treuliedig ei fag, crwydryn y cyfandir-
oedd, Marco Polo Cymru'r ugeinfed ganrif—hwn wedi cael

25

digon, wedi syrffedu ar drotian y ddaear gron, a minnau druan yn awchu am weld rhyw bentref newydd rownd y tro o hyd. Roeddwn yn siŵr bod y diawl celwyddog yn dwlu jolihoetan o gwmpas y gwledydd.

*Ble mae Llwyd eleni?*

*Yn gorwedd ar ei gefn ar draeth gwyn digwmwl yn Trinidad.*

*Ble mae John?*

*Yn eistedd ar ei din diflas mewn carafán gwlyb yn y Mwmbwls.*

*Ydy Mr. Lloyd gartref os gwelwch yn dda?*

*Mae'n ddrwg genn'i. Mae Mr. Lloyd yn Fiji yn casglu deunydd ar gyfer llyfr taith newydd.*

*Ydy Mr. Rawlins gartref os gwelwch yn dda?*

*Ydy; mae e yn yr ardd yn priddo'r tatws.*

*Pwy gawn ni i wneud y ffilm 'ma yn Toronto?*

*Wel, mae'r colegau wedi cau; beth am Geraint Lloyd?*

*Pwy allai wneud yr hen ffilm 'ma am waith glo Aber-nant?*

*Beth am John Rawlins? Mae e'n byw o fewn ergyd carreg i'r lle.*

Ac yn y blaen, ac yn y blaen; yr un hen stori, stori 'mywyd i. A Llwyd—'swyn enwau a phellter' yw ei enw canol.

*Na! Rwy'n barod i eistedd 'nôl am flwyddyn neu ddwy a gwneud dim, dim byd ond codi 'nhraed at lendid cysurlon tân glo-carreg.*

*Beth am dân mawn mewn bwthyn gwyngalchog yn Kerry? A'r forwyn lygatddu yn tolach dy flinder di wrth hymian hwiangerddi'r môr yn dy glust di!*

*Os yw dy stori di am y Gwyddelod yn wir nid tolach 'y mlinder i fyddai hi!*

*Darllen y peth wnes i cofia!*

*Tybed!*

*Dere; wyt ti'n barod am un bach arall?*

Gwasgodd gŵr ifanc mewn gwasgod ddu ein gwydrau gweigion at dethau metel y poteli a grogai wyneb i waered ar y mur o wydr.

26

*Rhywbeth ar y Scotch, syr?*
*Na, dim byd, diolch yn fawr.*
*Ydych chi'n mwynhau'r croesi syr?*
*Ydw'n iawn. Mae'n dda bod y môr yn llonydd.*
*Dyw hi ddim fel hyn bob amser.*
*Na, mae'n debyg.*

Sgwrs oeraidd y llongau niwlog sy'n llithro heibio i'w gilydd yn nhawelwch y nos.

Wedi yfed y diferyn olaf aethom yn ôl i eistedd ar y dec agored. Yno, fel o'r blaen, roedd y cynulliad motlai o gymysgedd pobl yn eistedd, gorwedd, loetran, pwyso yn erbyn muriau gwynion, gwau rhwng yr adeiladau dur a godai'n flychau caled fel tuniau o wastatrwydd y bwrdd. Gwŷr, gwragedd, plant, yn glymeidiau o glebran dyrys, ieithoedd Babel yn ymglymu yn chwythiadau hallt y môr. Roedd yno gariadon ifainc hirwallt, mewn denims diraen, yn delfrydu yn eu hagosrwydd cyrff ymchwydd araf a digywilydd yr eigion. Roedd yno ŵr, academaidd ei dalcen, a ymddangosai fel petai wedi ymryddhau o gaethiwed cell ei glawstr i lacrwydd gwlân Aran a phâr o drowsus byr a ddadlennai farc Baden-Powell o Gilwel ar ei liniau can. Roedd yno wraig briod ganol-oed yn mynd ar wyliau ar ei phen ei hun, a'i llygaid yn aflonydd drist o dan y Polaroid tywyll. Criw o fodau brith oeddem, yn glwstwr o groen, esgyrn, a brethyn, ar ynys fechan o haearn, yn fenter ar fôr fel deilen ar gledr y glaw.

Suddodd Llwyd unwaith eto i ddyfnder ei gyfrol swmpus ar wleidydd talentog o Sais. Roedd genn'i gopi clawr-meddal o Yeats, ond ni allwn ymgolli ym mhatrymau cyfrin y print. Mae'n well darllen Yeats ar fynydd nag ar fôr. Ac ni allwn lai na dyfalu'r storïau oedd yno ynghudd yn symudiadau traed a llygaid y braster cyrff o'm cwmpas, y cerddi rhwng cadwynau'r gwallt ym mysedd y gwynt. Mae caneuon ym mwg cychod y môr.

Gwyliwn y gwylanod yn hedfan uwch y llong yn y dŵr. Bu'r adar swnllyd yn hongian wrth gynffon y bad bob cam o harbwr Abergwaun. Am ryw reswm disgwyliwn iddynt droi'n ôl wedi cyrraedd rhyw bellter o'r tir, a dychwelyd at ddiogelwch cynefin y glannau, y gwybod greddfol hwnnw eu bod wedi cyffwrdd â'r pwynt ymadael, pen-draw he bryngiad y bad, fel galarwyr o'r fynwent. Ond dal i'n hebrwng a wnaent, er ein bod bellach yn nes at arfordir Iwerddon nag i greigiau Penfro. Ymestynnent yn ôl dros farch llaethwyn y bad, yn hanner milltir o adenydd diflino, a llinellau diofal eu hedfan yn rhwyd-waith o groesi aml mewn dyluniad cymhleth. Deuai'r cyflymaf ohonynt i lanio'n gryf ar gefn sedd neu gornel to, cymryd hoe, ac ymwthio'n ôl i hwyl y gwynt a chanol y ras.

Chwiliais am y pellaf yn ôl, y llygoden feichiog, y morgrugyn cloff, yr olaf yn yr ornest. Ac roedd yno un, ar ei phen ei hun; yr wylan ar wahân, nad oedd ganddi, i bob golwg, obaith bod ymhlith y blaenwyr. Ceisiwn gadw fy llygaid arni, yn sownd ddiollwng, a dilyn ei symudiadau pell y tu ôl i'r llen conffeti llwydwyn. Cefais wefr bychan o foddhad wrth ei gweld yn dod yn nes ac yn nes, a sylweddoli ei bod yn goddiweddyd rhai o wylanod eraill y cefn, yn union fel petawn yn gwylied ras foduron a'm ffefryn personol i yn ymgryfhau wrth yrru drwy'r maes o bellter anobeithiol gwaelod y grid. Teimlwn fel plentyn yn chwarae gêm. Fy ngwylan i oedd hon. Roedd yno gyswllt yn hongian ar donfedd rhyngom. Roedd hi bellach yng nghanol yr haid adeiniog. Nid hawdd oedd cadw golwg arni erbyn hyn yng nghroesiadau'r drafnidiaeth nwyfus, ond roeddwn yn bender-fynol o ddal fy ngafael arni. Nid oeddwn am ei cholli nawr, a dycnwch ei hymdrech yn rhywbeth mor wefreiddiol i wyliwr a oedd wedi ymgolli yn rhamant y stori amhosib', yn apêl chwedl y Sinderela garpiog, yn ffantasi'r wyrth sy'n troi'r efrydd plwm yn bencampwr euraid.

Gallasai fod yn hanner awr, yn ddeng munud, gallasai fod yn oes gyfan mewn bodolaeth arall, yn fywyd ar fôr di-draeth, ond fe ddaeth yr wylan olaf o'r diwedd yn flaenaf. Daeth i hofran am eiliad ansicr uwch cymhlethdod aflonydd y bad, ac yna'n sydyn disgyn yn sgwâr ar y canllaw yn fy ymyl. Teimlwn yn swil rywsut, fel un bron â chredu bod creadur yn deall. Deall beth? Wyddwn i ddim yn iawn. Braidd na ddisgwyliwn iddi droi ei phen ataf a gwenu'n gyfeillgar. Gwyddai, mae'n rhaid, fy mod yn sylweddoli â rhyw falchder od iddi ddod yn agos ataf o'i phellter torcalonnus.

Ni bu yno'n hir. Ychydig eiliadau, dim mwy. Cododd i awelon cryf y sianel a throi ar hanner-cylch i gyfeiriad pellter newydd. Fe'i collais—yn gorff o blu gwynion fel llwch uwch y dyfroedd mawr a'r tonnau.

Agorais fy llyfr a cheisio, unwaith eto, fynd i'r afael â Yeats. Ond deuai'r wylan i ganol pob cerdd.

Doedd y clerigwr bochgoch ddim yn amharod i rannu ei ford-goffi gyda dieithryn.

*Rwy'n barod i rannu popeth efo fy nghyd-ddyn* meddai, mewn llais cyhyrog, *ond fy mrandi!*

Gwenodd, a chodi'r gwydr yn gyfarchiad moesgar cyn cymryd llymaid.

Diolchais iddo ac eistedd gyferbyn ag ef i ddarllen fy mhapur. Nid offeiriad cyffredin mohono; roedd hynny'n amlwg ddigon. Rhaid bod y triongl sidan o borffor ar ei frest yn golygu rhywbeth. Nid rhyw glerc di-sut diymadferth oedd hwn; nid tlotyn y plwyfi llwch rhwng bwthyn a ffarm, y math o was isel y mae düwch ei gasog, gydag amser, yn troi'n niwlen o wyrddni fel gwawl y mwsog cyntaf ar garreg farw. Tystiai toriad ac ansawdd deunydd ei wisg i radd o uchder lled agos at frig yr ysgol offeiriadol. Ni adawsai'r groes unrhyw graith arno. Roedd mewn cas-cadw da, yn grwn fel Mr. Bumble, ac ar fochau llawnion ei wyneb pelydrai rhuddliw y bywyd moethus rhwng craciau mân y gwythiennau coch. Sugnai sigâr enfawr, a châel blas amlwg ar ei deilen Hafana, deilen ac arni gylch o ddisgleirdeb, fel llinell Blimsoll, yn farc terfyn ei dyfnder rhwng y gweflau llaith.

Wrth sbïo ar y pendefig clerigol hwn dros ymyl fy mhapur roedd yn anodd ei ddychmygu yn wrandawr amyneddgar y gyffesgell, y gŵr mwyn yn ei blyg yn cynnig clust i storïau pechodau'r plwyf.

*Fy nhad, y truenusaf o wragedd*
*wyf, y gwaelaf un o ferched y*
*byd hwn o bechod. Meddyliais*
*ddrwg am fy ngŵr annwyl, a*
*llefaru i'w glust boeryn fy*

*nicter. Fe'i gelwais ar ewyn fy*
*nhafod yn bwdryn meddw, yn*
*gachgi diog, diegwyddor . . . .*

*Dyn aflan wyf, fy nhad, gŵr*
*afluniaidd ei ffyrdd. Caeth*
*wyf yng ngafael y bwystfil*
*sy'n llechu rhwng yr esgyrn*
*hyn. Rhois fy llaw aswy ar*
*din cynnes merch y bwtsiwr,*
*ac och, och, mae fy llaw dde*
*eiddigus yn chwennych y cyfryw*
*bleser . . .*

*Fy mai, fy mai, fy nirfawr*
*fai—chwantu, a chwantu, a*
*chwantu o hyd, a'r chwantu*
*di-ball yn bersawr rhwng blew*
*fy ffroenau. O! Hyfryted*
*awelon peraroglau'r poen—*
*brest ffowlyn ddydd Gwener . . .*

*Duw, fy nhad, a'm gwêl yn dlawd,*
*yn llwm fel llygoden eglwys, ond*
*gwn, fe wn yng ngwaelod fy ngwaed,*
*nad yw hynny yn esgus dros ddwyn—*
*dwyn Guinness fy mam annwyl, fy*
*mam a roddodd i mi wres ei chroth,*
*a roddodd i mi faeth ei bron. Fe'm*
*daliodd—yr ast lygatgraff—yn*
*pwlffacan dan ei gwely wrth estyn*
*am y botel rhwng y pot a'r bocs*
*trugareddau . . .*

31

Ni allai hwn wrando ar bethau felly. Gwelwn ei bregeth yn glir ym mwg ei sigâr:

*Ewch ymaith*
*oddi wrthyf chwi*
*bechaduriaid anobeithiol*
*ac aneffeithiol ffôl. Os pechu*
**PECHU!**
*Pechu'n ysblennydd liwgar, yn*
*ymfflamychol wych; pechu fel peunod,*
*yn dapestrïoedd gwiw a digywilydd o blu hirion*
*agored, nid fel adar bychain llwyd a diniwed y to . . .*

Offeiriad y gyffes ysgubol oedd hwn, yr un a ddeallai natur y pechodau bras, y pechodau y mae'n rhaid eu cyflawni'n ogoneddus, y cawodydd trydan rhwng fflachiadau'r mellt, nid rhyw law mân diflas o ddrygioni anniddorol. Beth, tybed, a ddywedai'r cyfarthwr rhadlon hwn o bulpud y capel gartref wrth yr ieir ffyslyd sy'n crafu'r baw am ffolinebau lleiaf y plwyf?

Ac efe a esgynnodd i lwyfan bren ein Bethel yn y cwm, gan ddywedyd:

*Gochelwch, fy mhlant, rhag ymhel yn fabiaïdd ffwndrus â'r petheuach distadl sydd, yn eich llyfr chi, yn dwyn yr enw 'Pechod'. Nac ymboenwch, anwyliaid dall, â'r llychyn baw sy'n cosi o dan amrant eich cymydog. Mwynhewch yn hytrach oludoedd y goeden haf sy'n blodeuo yn eich golygon fflam eich hun.*

*Nid oes yng ngwead y traeth—gwastadedd undonog y miliynau darnau cregyn a rwbiwyd yn fach rhwng llanw a thrai—nid oes, meddaf, nid oes yno haenau y dirgelwch cynoesol sy'n batrwm yn hafnau dyfnion y graig, y rhaeadrau solet yn llif aruthredd y pinaclau.*

*Na ofelwch am y dyrnaid tywod! Cofleidiwch y bryniau! Anadlwch y mwg o grombil cyffrous y graig . . .*

Ond ni fyddai neb yn ei ddeall, neb yn gallach o wrando. Nid yw pregeth ym Methel ond addurn o lafar dymunol ar astell ornamentau'r cwrdd, lluman o eiriau lliw yn hongian

rhwng mygydau'r carnifal a nodau fflat y sol-ffa yng ngŵyl
Saboth y gwenwyn.


. . . . Eisteddwn yng nghefn y llawr, yn grwt caeth rhwng
melfed ei fam a ffwr ei fam-gu. Yn ail hanner y gwasanaeth, ar
ôl i'r cyhoeddwr penwyn orffen ei rigwm a'r casglyddion eu
cylchdaith stiff rhwng clychau defosiynol y dimeiau, cawn
bapur o fag camffor mam-gu a darn smwt o bensil i'm difyrru
fy hun. Rhown fy myd yn llun ar y ddalen. Awyrennau blaen-
llym yn poeri tân, ac ar eu hadenydd briw gylchau trilliw
gwlatgarol a chroesau crwca'r gelyn. Almaenwr yn crogi fel
pyped wrth barasiwt, a'i gorff rhidyllog yn diferu gwaed.
Bomiau fel cesair disgybledig yn diflannu'n gawod gymen drwy
waelod y papur i sarnu dinas ddychmygol. Troi'r papur a
thynnu llun y ffenestr uchel, y ffenestr lle'r eisteddai 'Joe Think
and Thank' yn wên dan hud y bregeth. Rhoddasid papur llwyd
yn stribedi cris-cros ar y cwareli, a rhwng y llinellau papur
disgleiriai darnau diemwnt y gwydr yn olau, fel ffenestr eglwys,
yn haul diwedd y dydd.

Cystrawennai'r pregethwr ei besychiadau bwriadus i
gyfeiriad pell y pen olaf, a suddwn yn is yn fy mlinder i bydew'r
clydwch rhwng ystlysau'r mamau. Yno, yn agosrwydd eu
calonnau, clywn gynyrfiadau ofnadwy dicter fy mam-gu, y
bygythion distaw, chwythiadau ei chasineb mewn sillafau
gwenwynig—*Bitch ddig'wilydd! Hwch y diawl! Hwren! Aros
di, fe ddaw cyfle! Fe dynna'i dy dreips di! Yr ast yffarn!*

Ni ddywedai mam ddim, ond teimlwn rywsut, drwy wres ei
chorff, ddyfnder hen boen yn gwasgu fel plwm.

Codwn fy llygaid yn araf araf at uchder oriel y capel, a gweld,
yn addolreg ar ei phen ei hun yn seddau hanner gwag y côr, nid
gwraig yn gwrando pregeth, ond hwren, yr hwch hyll ar dafod
mam-gu. Draig oedd o waelodion uffern. Roedd hi'n llosgi!
Tynnwn fy llygaid yn fflach oddi arni, ac edrych yn wyllt, yn
gyflym goch, at bibau syth yr organ. Ac yno, yng nghysgod y
pibau, yn seddau cadarn y baswyr, eisteddai fy nhad, yn hardd
yn ei ddillad parch, ei wallt du yn drwch o donnau llonydd.

Carwn ei gryfder, cryfder y breichiau a'm taflodd mor aml at chwerthin yr haul, lled yr ysgwyddau a'm cariodd yn uchel ar lwybrau gaeafau'r sêr. *Cydia yn 'y ngwallt i,* meddai, *Cydia'n sownd; paid â gollwng dy afael.* Bysedd yn gynnes yn niogelwch y gwallt byw. *Cydia yn 'y ngwallt i.* Ond yn y cwrdd od, cwrdd y rhyfel, ac arogldarth y gwenwyn yn dew yn fy ffroenau, roedd fy ngafael yn llacio. Roeddwn yn dechrau dysgu—dysgu llofruddio fy serch, dysgu llabyddio fy nhad. Y darnau callestr mewn dwrn.

Gwasgwn fy mhen yn ddyfnach at ysgwydd feddal fy mam, ond clywn o hyd sibrydion dieflig fy mam-gu. *Aros di! Fe ddaw cyfle!* A'r peiriant pregethu diflino yn lluchio'r had ar awelon ei hwyl hyd rychau'r seddau, yn llwch i lygaid gwag y mygydau, y masgiau difynegiant. Trwy'r tyllau dall synhwyrwn y llygaid, y llygaid colli-dim, y camerâu a'm daliodd yn 'smygu yn nhŷ-bach y festri, a'm daliodd yn chwilio hwren ar lofft y cwrdd . . .

Gosododd un o forynion y gwesty hambwrdd, ac arno goffi i ddau, ar y ford o'm blaen.

Aethai Llwyd, yn syth ar ôl ein cinio, i chwilio am ffôn. Roedd ganddo gyfaill coleg yn gweithio ac yn byw yn Nulyn.

*Fe allwn drefnu noson 'dag e—noson neu ddwy, efallai, yn Nulyn.*

Fe allai Llwyd fod yn llywydd anrhydeddus Cymdeithas Cyfeillion ar Wasgar, y gymdeithas *elite* honno y mae ei haelodau yn medru cylchu'r byd cyfan a mwynhau gwyliau rhad yn y mannau mwyaf egsotig megis Dar es Salaam a Darlington. Fe gred Llwyd, fel y cred y rhan fwyaf o'r brîd sengl digadwyn, mai canllaw yw cyfaill pell.

Fe ddaeth 'nôl o'r ffôn a'i anfodlonrwydd yn amlwg.

*Mae'r diawl wedi mynd i Sligo, a 'fydd e ddim 'nôl tan ddydd Sadwrn . . . Na, dim llaeth . . . Diolch.*

Cododd yr offeiriad, nodio'i ben yn gwrtais, a throi'n ddiatreg, ddigamsyniol, i gyfeiriad y bar.

*'Fuest ti'n siarad â'r pregethwr?*

*Dweud Shw' mae'i—dim byd mwy. Roedd e'n rhy brysur*

*gyda'i bapur a'i frandi.*

Profodd Llwyd ei goffi fel un ag awdurdod ganddo cyn ymollwng yn rhydd a llac i foethusrwydd ei gadair ledr.

*Wel 'te! Beth yw'r drefn am heno? Beth garet ti 'neud?*

Gan ei fod eisoes wedi fy atgoffa mai dod i weithio wnaethom ni, fe'm temtiwyd i awgrymu iddo mai'r peth mwyaf buddiol fyddai paratoi'r offer—rhoi blaen pigog i bob pensil, rhifo'r dalennau gwag, glanhau botymau seimllyd y teipiadur—ar gyfer y gwaith poenus o eistedd i lawr yng nghegin y bwthyn gwyngalch i chwysu geiriau. Ond roeddwn innau yr un mor awyddus ag yntau i wneud rhywbeth mwy cyffrous na hynny.

Ymhen yr awr fe'n cawsom ein hunain yn cerdded strydoedd Wexford, ac yn melltithio yn nistawrwydd y diwetydd ddieithrwch gwag hen le anghynefin a digysur. Diau fod pob lle'n ymddangos felly i rywun sydd newydd gyrraedd, pob lle sydd yn byw ei fywyd normal a heb blygu dan bwysau twristiaeth i fod yn ffair olau feunosol.

*Beth gythrel yw shwd le â hyn, gwed ti! Fyddet ti'n meddwl y byse rhywun yn cadw tipyn o sŵn. Mae fel y bedd 'ma.*

Roedd Llwyd yn fwy hyderus.

*Paid â gwylltu; mae'n gynnar eto. Mae'n rhaid fod 'no fywyd yn rhywle—dan yr wyneb.*

Meddyliwn am y tincer hwnnw a fu'n begera wrth fy nrws. Dyn byr, gwydn, llygatgroes, yn byw ar gopor a phlwm a phres. Pwysai ar y glwyd yn bargeinio tra gwaeddai ei wraig fras, yng nghaban eu lori anniben, ar griw o epil ffreclog.

*Beth yw ei werth e?* gofynnais.

*Punt neu ddwy.*

Rhoddodd i mi ddwybunt am werth wythbunt.

*O ble yn Iwerddon ych chi'n dod?*

*Wexford.*

A dyma fi—yn yr union fan. Ni allwn ei feio am droi cefn ar le mor amlwg farw.

Safem o flaen ffenestr siop, yn difrif ryfeddu wrth harddwch hanner dwsin o beiriannau gwnïo. Doedd y lle ddim yn hollol wag. Roedd yno bobl yn rhyw lusgo cerdded o gwmpas, ymwelwyr yn ôl arafwch eu cerddediad. Pwy ond ymwelydd-unnoson sy'n camu'n ddifater ling-di-long o'r naill ffenestr siop anniddorol i'r llall? Pobl ddieithr yn unig sy'n gwneud hynny, pobl heb unlle i fynd am na wyddan nhw beth sydd yno na sut mae dod o hyd iddo beth bynnag ydyw. Y drifft diflas dibwrpas, gorymdaith y malwod, ac yn ddwfn yng ngwaelod y camre byr y gobaith gwan am wefr sydyn o fywyd rownd y tro nesaf. Fe ŵyr y brodor gyfrinach pob tro, yr ateb i gwestiwn pob cyffordd, a dirgelwch pob lôn dywyll yng nghefn y terasau distaw. Dyna sy'n braf mewn cynefin. Ond i ddieithryn nid oes ond ambell ffenestr siop a hanner dwsin o beiriannau gwnïo.

*Mae mwy o gynnwrf i fyny yn y gogledd, fentra'i. Petrol mewn poteli llaeth, myn yffarn i! Bom yn y bŵt, a bwlet yn dy din di!*

*Paid â siarad mor ysgafn. Petaet ti yno, crynu yn dy 'sgidiau fyddet ti, a hiraethu am le bach marw fel y lle 'ma.*

*Ond ble maen 'nhw' 'te? Y tylwyth teg Gwyddelig, criw bach y cylchau hud yn y coed! Mae'n rhaid bod y diawled bach yn cwato yn y colfenni.*

*Beth dd'wedodd y Ffrancwr hwnnw wrth O'Faolain—Une île cachée derrière une autre île.*

Gofynnais am gyfieithiad a dadlennu fy niffyg disgleirdeb.

*Ynys yn ymguddio y tu ôl i ynys arall—dyna yw Iwerddon medde fe.*

Beth bynnag oedd ym meddwl y Ffrancwr, cwtsio o'r golwg oedd tinceriaid Wexford y noson honno, cwato yng nghysgod ei gilydd. O leiaf, felly yr ymddangosai nes i ni daro'n ddamweiniol ar un o'u cuddfannau, rhyw gaban-i-gorachod o le i lawr wrth dawelwch tywyll yr harbwr.

Doedd yno ddim lle i eistedd, ond roedd yno gownter—llathen a hanner o bren cul a'r cŵyr wedi hen bylu. Hwnt ac yma rhwng yr annibendod roedd yno wagleoedd sych fel ynysoedd saff ar gyfer penelin neu law.

*Beth gym'ri di?*

Dyw Llwyd ddim yn un i wastraffu amser pan fydd e wyneb

yn wyneb â rhes o boteli.

*Mackeson.*

Doedd y dyn yn llewys ei grys ddim yn deall yr iaith, ond fe ddeallodd enw'r stowt oblegid fe ddaeth cysgod o wendid parlysol i'w lygaid cochion. Sylweddolais ar unwaith i mi ryfygu, i mi lefaru cabledd i'w glyw.

*Nage . . . Guinness!*

Ac fe ddaeth, nid mewn potel wâr a gwydr, ond mewn pot peint anwar a hanner modfedd o hufen solet yn glawr arno.

*Dau becyn o gnau-mwnci hefyd, os gwelwch chi'n dda.*

Pendefig ai peidio, mae ganddo ambell i gell strai yn ei waed.

*Dd'wedes i wrthyt ti eu bod nhw yma—dan yr wyneb.*

Ac roedden nhw yno, ym mwrllwch yr hen dafarn un-stafell; cwmni o ddrychiolaethau llwydion yn llonydd yn y cwmwl mwg, yn gwrando'n hiraethlon ar y tenor a ganai'n ddigyfeiliant o glydwch aflêr hen gadair-esmwyth garpiog. Hen gadair, hen gân, hen bleser, Calonnau rhydd ar goll, yn feddw, yn rhyfedd o chwil, ar gyffur y gerdd. Ac nid oedd presenoldeb dau ddieithryn, ymyrraeth estron o strydoedd y nos, yn debyg o'u sobri a'u dwyn yn ôl o gyfaredd y llais ysgafn at wirionedd diflas y mwg a'r bar chwyslyd.

Yr un mwyaf ei chwys oedd yr hanner-efrydd gwargam y tu ôl i'r cownter. Un ydoedd o lwyth Quasimodo, golygus fel broga, a hanner ei gefn hyll yn grwmp ar ei wegil. Rhoddai drochiad aneffeithiol i'r gwydrau gweigion, a'u sychu'n freuddwydiol â'r lliain a grogai'n wlyb o dwmpath ei ysgwydd. Llanwodd ddwsin o botiau cwrw, eu rhoi nhw'n ddefosiynol ar ddau.hambwrdd crwn, a hercio fel llyffant cloff drwy wyll y baco i blith y gynulleidfa ddwys. Daeth 'nôl, rhoi trefn ar y cnau-mwnci a'r pecynnau creision, cymryd llymaid o'i ddiod ei hun, a golchi rhagor o'r llestri.

Daeth yr alaw drist i ben, a chafodd y canwr ei gymeradwyo'n frwd.

*Saeson?* gofynnodd Quasimodo'n sydyn, a sŵn atgof am Cromwell yn ei gwestiwn. Bu'n edrych yn lled amheus arnom am beth amser, a cheisio dyfalu mae'n siŵr pa dafodiaith astrus a lefarem wrth ein gilydd.

*Nage, myn diawl i!* atebodd Llwyd ar ruthr, cyn bod neb yn cael cyfle i danio'r petrol yn y botel laeth. *Cymry.*

*Ar eich gwyliau?*

*Ie, newydd lanio o Abergwaun. Aros yn Rosslare dros nos.*

Dydw'i ddim yn siaradwr mawr mewn cwmni dieithr. Hen swildod mud a ddehonglir gan rai yn rhyw odrwydd crachlyd anghymdeithasol. Y nam seicolegol, effaith y rhwygo dwylo efallai, yr ansicrwydd, a hacrwch y digofaint cynnar. Ond dyw Llwyd ddim yn dioddef felly.

*Mae gennych chi ganwr da 'ma.*

*Rych chi'n hoffi'i lais e? Hei Seamus! Beth am gân fach arall, i'r cyfeillion 'ma o Gymru? Mae genn'ti gân Gymraeg on'd oes?*

Aeth y llyffant cyfeillgar i 'nôl dwy stôl o ystafell gefn, dwy stôl anrhydeddus i'r ddau ymwelydd.

Ar ôl gwlychu ei gorn gwddw a chael ei wynt ato, fe gliriodd Seamus ei lwnc unwaith eto, a dechrau—

*We'll keep a welcome in the . . .*

Gallwn glywed yr ebychiad isel a thrwm yn llithro fel neidr drwy'r wên hawddgar a gwerthfawrogol ar wyneb Llwyd, a theimlo'r gwres yn codi o'm traed fy hun.

Gin arall i Llwyd, a wisgi i mi—wisgi Gwyddelig rhag cythruddo'r cwmni.

*. . . . When you come home again to Wales . . .*

*Cân blydi Gymraeg!* meddai Llwyd rhwng ei ddannedd.

Pwysai Quasimodo ar y cownter llwythog, ei ddau benelin yn stecs mewn diod wast, a'i wên agored o foddhad yn datguddio adfeilion cam ei ddannedd brown. Roedd y gwrandawyr, y cwmwl tystion annelwig, wedi suddo 'nôl i ledrith yr ymgolli llwyr.

Cynigiais sigarèt i'r broga. Ni wnaeth ond edrych yn syn ar y pecyn agored, ysgwyd ei ben yn freuddwydiol, a'i roi ei hun yn ôl i swyn y gân estron.

*Dyma beth yw consart myn yffarn i! Cymer sigarèt.*

Dyw Llwyd, a'i fysedd melyn, fyth yn gwrthod sigarèt.

Roedd hi'n amlwg ei fod yn dechrau teimlo'n od. Roedd

gwin coch y gwesty yn Rosslare wedi cyfarfod erbyn hyn â gin Wexford.

*. . . kiss away each hour of Hiiiiiiiiiiraeth*

*When you come home agaaaaaaaaain to Wales.*

Roedd llais tenau y tenor bach tew yn ysgwyd y muriau, ac yn naeargryn y nodau aeth y gynulleidfa'n wallgof ei chymeradwyaeth.

Trodd Llwyd ar ei stôl uchel, ac wynebu'r tafarnwr.

*Beth yw dy enw di, gyfaill?*

'My friend' oedd yr ymadrodd. Dwy'i ddim yn hoffi clywed yr ymadrodd hwnnw yn cael ei ynganu fel yr ynganwyd ef gan Llwyd wrth gyfarch y tafarnwr. Yr ynganiad arbennig hwnnw yw un o arwyddion cyntaf amhleser y pendefig.

*Mic . . . Mic O'Leary.*

*Wel, gwranda Mic. Rho ddiferyn bach yn hwn eto, a diferyn i 'mhartner i, a diferyn bach i ti d'unan.*

Ac yna fe drodd at gwmni'r mwg a oedd yn dal i ganmol dawn wyrthiol eu cantor.

*Os ca'i dipyn bach o dawelwch, ffrindiau . . . Ffrindiau! . . . Diolch. Mae 'mhartner a minnau am ddiolch i Seamus am 'n hanrhydeddu ni â chân. Ac os ca'i 'weud, fe'i canodd hi yn hyfryd, 'ware teg iddo . . .*

Nid oedd llefaru fy nghyfaill mor eglur gaboledig ag ydyw pan fydd e'n cyflwyno un o'i drysorau teledol.

*. . . ond rwy'i am 'weud un peth. Fe 'wedws Meic man'yn . . . nage, nid Meic . . . beth yffarn yw ei enw fe nawr? . . . Mic w! Fe 'wedws Mic taw cân Gwmrag oedd gan . . . be'chi'n galw. Wel, pan 'wedws e 'ny roedd e'n siarad trw'i blydi het. Cân Sysneg o'dd honna, nid cân Gwmrag. Nawr, mae 'mhartner i man'yn . .*

*Rawlins yw ei enw fe . . . enw Gwyddelig fel y gwyddoch chi'n ddigon da mae'n debyg a chithe'n Wyddelod bach 'ch hunen . . . Gwyddel oedd ei dad-cu e . . . nawr mae Rawlins yn fardd . . . bardd Cwmrag, er taw enw Gwyddel sy 'dag e. A mae gyda ni fel Cymry gyfoeth o farddoniaeth . . . barddoniaeth Gwmrag, nid rhyw blydi rwtsh Sysneg . . . fe glywsoch chi falle am*

39

*Dafydd ap Gwilym, . . . bardd mawr y Canol Oesoedd, un o feirdd mwya Ewrop . . . ac Euros Bowen, un arall . . . a . . . a . . . a W. J. Gruffydd . . . y Glog, a lot o rai erill. A mae gyda ni hefyd stôr o ganeuon Cwmrag . . .*

Doedd stôl Llwyd erbyn hyn ddim yn edrych yn rhy ddiogel. Doedd fy stôl i chwaith ddim mor gadarn ag y dylai fod. Ond gwyddwn fod fy nghydymaith bellach wedi camu'n lletchwith dros y ffin rhwng sens a nonsens, ac na ddeuai 'nôl am rai oriau.

*. . . ac rwy'i mynd i ganu cân Gwmrag i chi, nid cân Sysneg, ond cân Gwmrag. Roedd . . . be'chi'n galw . . . Seamus . . . yn ei gân e yn sôn am hiraeth—gair Cwmrag oedd hwnnw . . .*

Ac wedi ychwanegu at ei ragymadrodd cymhleth ryw ddam-caniaethu mwy cymhleth, ond gwreiddiol iawn, ynglŷn â natur y pennill telyn, fe ddechreuodd Llwyd ei gân.

*Gwedwch, fawrion o wybodaeth,*
*O ba beth y gwnaethpwyd hiraeth . . .*

Canai'n dawel ac yn denoraidd felys. Ac roedd yn amlwg fod y Gwyddelod yn mwynhau nodyn lleddf yr hen benillion.

*Na ddarfyddo wrth ei wisgo.*

Dyw wisgi a gwin ddim yn gyfuniad hapus chwaith . . . Rawlins yw ei enw fe—enw Gwyddelig—Gwyddel oedd ei dad-cu.

*Derfydd aur a derfydd . . .*

A rwy'n gwybod fawr ddim amdano, dim ond gwybod ei fod bellach yn staen ar bridd, yn gysgod llwch ar gefn abwydyn,

*Derfydd melfed . . .*

fel cymaint o'r gwŷr a gollais yn y dyddiau diflanedig hynny.

*. . . derfydd sidan.*

'Chawsom ni ddim nabod ein gilydd, dyna'r drwg. Fe ddaeth y pellter rhyngom yn gynnar iawn, rhy gynnar. Ni chefais ganddo ond enw, yr enw sy'n fy ngwneud yn un â'r cwmni rhyfedd hwn, cwmni drychiolaethau'r mwg. Ni ddywedwyd wrthyf nemor ddim amdano, ond clywais gan rywun—fy nhad efallai—mai morwr ydoedd, a chlywed hefyd rywbryd neu'i gilydd enw'i bentref, man ei eni. A dyna'i gyd.

> *. . . er hyn, ni dderfydd hiraeth.*

A oedd ganddo rigymau Gwyddelig yn ysgafn ar ei dafod? A fu'n morio 'mhell? Pwy bellach sy'n gwybod?

> *Fe gwn yr haul . . .*

Sgamp oedd fy nhad-cu, medden nhw, wag hirben, un parod i fenthyca swllt i'w roi ar geffyl neu gi. Fe'i gwelais fwy nag unwaith—ond o bell. Cap brethyn fflat ar gam, mwffler, a'r môr o hyd yn chwil yn rhithm ei goesau.

> *. . . yn donnau irad.*

Cadw di'r g'inog 'ma'n saff yn dy law. A dyma 'ti nished lân yn dy boced. Rwyt ti'n edrych yn real gŵr bonheddig bach. Cofia dy fod ti'n cadw dy wallt o dy lyged, a phan fyddi di'n darllen yr emyn dal y llyfr yn uchel o flaen dy wyneb fel bo dy laish di'n cario i'r cefen. A phaid â 'neud cleme. Ar ôl i'r Ysgol Sul gwpla dere di 'nôl i'r tŷ ar unwaith; paid ti â mynd ar fanc y canél gyda chrots Twm Davies i belto cerrig at y geifr. Cofia di—'nôl ar unwaith. A phan ddeui di ar bwys y clwb, croesa'r hewl. Os gweli di dy dad-cu paid â chymryd dim sylw ohono fe. Os gwediff e rywbeth wrthot ti, paid ti â gweud dim. Croesa di'r hewl 'na fachgen da. Ti'n deall?

> *Pan fwyf dryma'r nos yn cysgu,*
> *Fe ddaw hiraeth ac fe'm deffry.*

Ac fe fu lled yr hewl rhyngom am byth. Y bwlch sy'n cadw plentyn o afael ei dad-cu, y gwagle di-eiriau, digusan, y man di-dramwy rhwng henwr a'i ŵyr bychan.

> *Paid â phwyso mor drwm arna'.*

Yn ddiweddarach, pan ddeuai fy nhad o bryd i'w gilydd yn ôl i'r pentref o Lundain, yr un oedd y gorchymyn—croesa di'r hewl.

> *Gad i mi gael cysgu gronyn.*

Sleifiodd Llwyd o'i stôl i dderbyn canmoliaeth gynnes ei gynulleidfa, cododd ei law, a gwenu arnynt fel cwrcyn blinedig.

*Nawr 'te, dyna chi wedi clywed cân Gymrag. Ble mae Seamus bach? Seamus! Paid ti â chanu'r blydi nonsens 'na eto. Mae'n well i ti ddysgu Gee Ceffyl Bach na threio bod yn Secombe bach Gwyddelig!*

Roedd yn bryd i ni fynd. Doedd Llwyd ddim yn credu hynny. Synnwn i fawr nad oedd e, ar y pryd, yn ddigon dwl i gredu y galle'ni'n dau gynnig Hywel a Blodwen iddynt. Ond doeddwn i ddim yn ddall i'r olwg newydd ar wyneb Seamus. Wedi'r cwbl, dyw dwsin o Wyddelod mewn tafarn yn eu gwlad eu hunain, neu mewn unrhyw wlad o ran hynny, ddim yn bobl y dylid eu temtio'n rhy daer.

O'r diwedd, ar ôl iddo ysgwyd llaw â phob un o'r cwmni, a rhoi ei fraich yn llipa am ysgwydd anferth Mic O'Leary, llwyddais i gael Llwyd allan i'r stryd ac i ddiogelwch y distawrwydd llonydd.

Aethom heibio i'r peiriannau gwnïo, ac i'r car. Nid oedd angen i Llwyd ofyn i mi yrru y tro hwn; doedd e ddim yn adnabod ei gar ei hun. Aeth y pendefig yn swp diymadferth i'r cefn, a chanu bob cam 'nôl i Rosslare — *We'll keep a welcome in* . . .

Wrth dynnu at dop y porthladd gwelwn y gwesty yn llachar eglur yn y llif-oleuon cuddiedig. Rywle yn y tywyllwch islaw roedd y tonnau yn rhedeg yn ddim ar draethau di-liw y cornelyn hwn o'r ynys. Nid oes harddwch yn Rosslare; nid oes yno gysgod o'r lledrith sy'n tywyllu craig yn Nyfed. Man-glanio ar dywyn llwydaidd; dim byd mwy na hynny. Ac mewn lle mor anaddawol roedd y gwesty'n eithaf moethus.

Wrth ymlacio unwaith eto ym mraster meddal y cadeiriau esmwyth, roedd yn dda genn'i weld bod Llwyd yn dechrau dychwelyd at urddas arferol y pendefig. Roedd e wedi diosg mantell y trwbadŵr diofal rywle rhwng y maes-parcio a chyntedd y gwesty.

Awgrymais yn dadol,

*Coffi fyddai orau mae'n debyg.*

*Ti a ddywedaist! Yr un dua posibl! Nid 'mod i wedi cael gormod cofia, ond roedd yr hen dafarn crebachlyd 'na fel ffwrnes. A'r mwg wedyn. A roedd 'no ryw flas od ar y cnau-mwnci hefyd. Shwd oedd dy gnau di?*

*Iawn, ond dwy'i ddim yn awdurdod ar gnau-mwnci.*

Chwerthin mawr.

*Duw! Es i'n wan pan glywais i'r gân yna. Mi allwn i fod wedi tagu'r tenor 'na!*

*Mae e'n gallach erbyn hyn. O leia, mae e'n gwybod beth yw caneuon Cymraeg, a beth yw pennill telyn!*

Arllwysodd bachgen ifanc tal y coffi i'r cwpanau.

*'Garech chi gael bisgedi gyda'r coffi?*

*Os gwelwch yn dda—os oes gennych chi fisgedi plaen.*

Gosododd ddau blât o'n blaenau cyn mynd i 'nôl y bisgedi. Ar bob llestr—ar gwpan, soser, a phlât—roedd llun. Llun bychan o aderyn, colomen neu wylan, yn disgyn yn syth ar ei phen.

*Mae'r deryn bach 'ma* meddai Llwyd, *fel deryn y Methodist-iaid Calfinaidd. Lan neu lawr mae hwnnw'n mynd?*

*Dwy'i ddim yn cofio; lawr, siŵr o fod—y golomen yn disgyn o'r nef, yr Ysbryd Glân.*

*Gwylan yw'r brawd pluog yma mae'n debyg. Rhan o arfbais y lle efallai.*

Ond wnaethom ni ddim gofyn i'r bachgen ifanc tal pan ddaeth hwnnw â'r bisgedi. Dim ond cymryd bod gwylan, neu golomen, yn golygu rhywbeth yn Rosslare a Wexford, fel yr wylan honno a ddisgynnodd am ennyd ar ganllaw'r bad. Yr wylan bell, yr wylan agos, yr wylan a ddaeth ataf o bellter distawrwydd y gorwel.

*Gwely dieithr ai peidio, mi gysga'i fel y graig heno.*

*Minnau hefyd.*

Llifai melodïau llyfn yn dawel o ryw declynnau cudd yn y waliau, a hongian yn felys sidanaidd fel mwg sigarèt rhwng y nenfwd a charped trwchus y llawr, alawon diymhongar a meddal, a chyffwrdd eu nodau mor ddiog ysgafn â phwysau'r gwawn ar flodau. Ac roedd y coffi'n dda, yn boeth ac yn gryf fel sobrwydd ei hun.

*'Wyddost ti rywbeth, Llwyd? Nid fel hyn mae ysgrifennu nofelau!*

*Nid fel hyn mae'u hysgrifennu nhw efallai, ond fel hyn mae'u gweld nhw. Wyt ti'n cofio'r cymeriad hwnnw gwrddo'ni ag e yng Nghaersws, y cynhyrchydd teledu hwnnw o Birmingham?*

Roedd e am i ti fynd gyda nhw i weld rhyw ffilmio ar lan yr afon. 'Everything's copi' meddai.

Hwnnw oedd yn dweud ei fod e'n perthyn i Arnold Bennett neu i Trollope neu rywun?

Arnold Bennett yn hen dad-cu iddo fe—rhywbeth felly. On'd oedd e'n foi od?

Yr oedd yn od. Fe'i cofiwn yn dda. Teimlwn mor flin amdano ar y pryd.

Digwyddem fod yn aros yn yr un man â chriw ffilmio o ganolbarth Lloegr. Roedd pump ohonynt—pedwar dyn ac un ferch. Ac roedd yn amlwg mai ef, etifedd y nofelydd enwog, oedd yn llywio'r sioe. Buom yn eu gwylied am oriau—wrth y bar, wrth y ford yn yr ystafell-fwyta, a 'nôl wedyn yn y bar—ac yn ceisio penderfynu pa un ohonynt fyddai'n debyg o gysgu yng ngwely'r ferch. Roedd yn glir y byddai un ohonynt yn ysgwyd ei chlustogau cyn y bore. Roedd yr un mor glir—i ninnau beth bynnag—nad y cynhyrchydd yn ei siaced fraith o sgwarau pres a'i ddici-bow melyn fyddai'r un hwnnw.

Fel pob Sais gwerth ei halen roedd e'n cega'n ddigon uchel i bawb glywed:

Doeddwn i erioed wedi bod yn agos at 'nhad; doedd dim cyfeillgarwch cynnes rhyngom. Hynny yw, y cyfeillgarwch hwnnw sy'n naturiol rhwng tad a mab. Roedd e'n ddyn, roeddwn innau'n ddyn, ac roeddem ni'n dau wedi byw yn yr un tŷ am gyfnod o amser. Rhyw berthynas felly oedd hi. Ond doedd 'no ddim serch, dim cariad. O leia, felly roeddwn i wedi teimlo ar hyd y blynyddoedd. Ond nawr, ar ôl yr holl fusnes yma, rwy'n teimlo'n wahanol. Efallai taw arna'i oedd y bai; dwy'i ddim yn gwybod. Ond rwy'n siŵr erbyn hyn fod ganddo fe ryw fath o serch ata'i . . . Ond diawl! Mae'n rhy hwyr nawr! Does dim ohono ar ôl. Dyw e ddim yn bod mwyach. Roedd e wedi mynd cyn i mi gyrraedd. A sut y gallwn i fod wedi cyrr-oedd mewn pryd. Roedd genn'i'r blydi ffilm 'ma i'w baratoi, a doeddwn i ddim yn gwybod, beth bynnag, ei fod e mor wael. Mae mam mor uffernol o niwlog pan fydd hi ar y ffôn. Ac roedd ei weld e yn y fan honno—yn gorff gwag llonydd—yn *rhoi loes calon i mi. Beth allwn i ei wneud ond rhoi cusan ar ei dalcen e? Yffarn! Roedd e mor oer; roedd y gwres wedi rhedeg allan ohono'n llwyr, ac roedd e fel twmpyn o iâ.*

Gallwn weld bod y ferch ifanc ddeniadol a eisteddai yn ei ymyl yn teimlo'n arw drosto. Fe allai'r gwalch ystrywgar wrth gwrs fod yn chwarae'i gardiau'n gyfrwys. Rhyfedd y sgiliau sydd i gael Wil i'w wely. Cydiodd y ferch yn dyner yn ei law, fel mam yn cysuro'i phlentyn, a gwneud ei gorau i roi perswâd arno i beidio â'i boenydio'i hun. Ond roedd e'n cynhesu at ei stori, ac yn cael blas masocistaidd ar y dweud. Ni allwn innau lai na theimlo drosto. Mor chwithig yw gweld dyn, a'i wyneb yn wlyb gan ddagrau, yn ei ddinoethi ei hun yng ngŵydd cwmni sydd wedi hen flino ar glywed ei gŵyn. Roedd un o'r criw, yr hynaf, dyn byr boliog, wedi cysgu yn ei gadair-esmwyth, ac roedd yn amlwg fod y ddau ddyn arall eisoes yn teimlo carthenni twym y ferch am eu cyrff, ac yn gwylied ei gilydd o gorneli eu llygaid fel ci a chath rhag i'r naill gael y blaen ar y llall.

Ymhen hir a hwyr, a'r mab edifar wedi dwyn rhagor o gymhlethdodau i'w stori, awgrymodd un ohonynt ei bod yn bryd iddynt roi eu dillad nofio amdanynt a mynd am drochiad yn yr afon.

*Ewch chi,* meddai'r cynhyrchydd, fel un a ddymunai amser a chyfle i roi balm ar ei friw. *Mi arhosa'i am dipyn eto.*

A mynd wnaethon nhw—i'r llofft. Dau ddyn ifanc a merch. 'Welso'ni mohonyn nhw yn eu dillad nofio; ni welodd yr afon mohonynt chwaith.

Fe ddaeth gŵr y dagrau â'i wewyr atom ni, am ein bod efallai yn edrych fel gwrandawyr hydeiml. Fe ddechreuodd ei stori eto, ond roeddem ni eisoes wedi ei chlywed.

Doedd genn'i ddim i'w ddweud wrtho, ond un peth—
*Fe gawsoch o leiaf gyfle i gusanu'r talcen.*


Rhoddodd Llwyd ei gwpan gwag a'i soser ar y ford.
'*Chawsom ni ddim gwybod wedyn,* meddai, *p'un o'r ddau 'na fuod wrthi hi'r noson honno.*

*Llwyd bach, paid â bod mor ddiniwed. Y ddau gyda'i gilydd.*
*Wyt ti'n meddwl?*
*Pam lai?*
*Nos da i chi'ch dau* meddai llais cryf y tu ôl i ni.

Y clerigwr bochgoch oedd yno, yr offeiriad a oedd yn barod i rannu popeth gyda'i gyd-ddyn ond ei frandi, ar ei ffordd i'r gwely i freuddwydio mewn lliw am ysblander y pechodau braf.

—un o'r moroedd olew hynny nad oes iddynt orwel am nad yw llwyd y dŵr yn ddyfnach na llwyd yr wybren y tu ôl i lwydni golau y glaw. Mor chwil yw'r graig lithriġ ar lethrau y tonnau, tonnau sy'n torri'n fân ar nodwyddau callestr y cerrig, a throchioni'n gawod o lygaid rhyddion, peli gwydr, bwledi crynion, yn tasgu'n wallgof ataf a glynu wrthyf i sugno'r gwaed drwy'r croen . . .

—rhaid i mi, mae'n rhaid i mi ddal fy ngafael, cydio â'm bysedd esgyrn yng ngwallt y gwmon, nadredd Medwsa, llys-wennod rwber y llywethau yn fyw yn fy llaw, perfedd yr abwyd yn gludio'n llysnafedd rhwng ewin a chnawd. Mae'n gas genn'i driog cyfoglyd y malwod sy'n pori fy nghorff, ond rhaid, rhaid i mi ddal fy ngafael . . .

—a'r glaw yn chwerthin, yn chwerthin, a chwythu'r cap cotwm gwyn yn uchel uchel i ganghennau'r pîn sy'n tyfu yng ngardd anesmwyth y dŵr, cap bychan yr haul yn sownd ym mrigau'r gwynt, yn flodyn diniwed yng ngwiail esgyrnog y wrach o goeden ar ddawns y storm . . .

—halen y dagrau teirblwydd yn sychu'n flas briwsionllyd ar y tafod mud sy'n tyfu ohonof, yn tyfu ac yn chwyddo'n boen am fod y geiriau'n crynhoi fel crawn y cornwydydd porffor, a thynnu, tynnu drwy bydredd y gwenwyn. Powltis . . . powltis meddai mam-gu yn ei ffwr yng nghwrdd y weddi gamffor. Rhowch bowltis poeth ar fflam y drwg, creulys yn bast twym ar y tafod . . .

—yr unig ateb yw torri â'r llafn, agor y chwydd coch, a gollwng y gwenwyn geiriau. Mam! Mam! Nid meddygon sydd yno y tu ôl i'r mygydau gwyrdd, nid llygaid dynion dan glic amrannau'r camerâu; llygaid yr adar, yn agored a chrwn, yr adar a ddaeth drwy gynfas tywyll y gorwel i ddoctora arnaf, i hollti mudandod y tafod. Adar mewn gynau a chapiau, capiau'n rhwym am benglogau plu . . .

—cyffur mewn cwpan i rewi curiad y nerfau, cwpan gwyn ac ar ei sglein aderyn yn disgyn o lamp y goleuni crwn i ganu ar ysgwydd y claf hen bennill yr Ysbryd Glân, a'r llais tenor yn daran uwch y dŵr . . . Hwn yw fy annwyl fab . . . A'r glaw yn chwerthin ar ffenestri cwpwrdd y cyllyll main a sisyrnau'r ymysgaroedd. Ond nid colomen mohoni; onid gwylan yw, gwylan y pellter ym mhen-draw'r llanw rhwng Abergwaun ac Annwfn, gwylan y llinell bell nad yw'n bod? Rhowch gyllell yng nghrafanc yr wylan wen, yr awch i waedu'r crawn o waelod y cig dwfn yng ngwreiddyn y llais . . . Nid cyllell, fy mab, ond fy mhig i wacter dy geg ar garreg yr heli rhwng prennau'r allt a'r pinwydd uwch y traeth, y bachyn pig i grafu drwy dafod y sillafau at gancr yr hen eiriau . . .

—a phoeri dan chwys y gwynt, poeri'r budreddi'n waed caled i draflwnc berw y tonnau halen, yr halen glân ar glwyf; chwi yw halen y ddaear, adnod fy nhad rhwng pibau'r organ . . .

—cydia'n y gwmon, cydia'n sownd; a'r wylan yn mynd ar ganllaw y gwynt. Paid â gollwng dy afael. A gwyll y niwl yn llyncu'r aderyn llwyd . . .

— nid wyf ond crwt yn crynu ar noethni ansicr y graig; oer yw'r croen ar garreg y môr . . .

— mor gynnes yw cesail yr eryr, eryr a'i wyneb yn wraig.

Rhychau o'r gwaywffyn llygaid dan y sbectol, a staen y lliwiau brwydr yn batrwm ar y plu. Mor gynnes wrth ystlys y ffwr, mor uchel o gyrraedd brath y fflic tafodau o wallt y pennau Gorgon. I ble'r ei di â mi? A'r ateb ar gleddyf ysgarlad o big—i'm nyth rhwng morddwydydd hwren . . .

— agor farrau dy grafanc i'm gollwng yn rhydd. I ble'r ei di, fy mychan, ar loriau y gwacter rhwng cwmwl a môr? I'r cwrdd yn nistawrwydd yr harbwr a'r porthladd tawel, clyd. Cofia groesi'r hewl os gweli di feddwyn a sigl y dŵr yn ei draed . . .

—dim ond Gwyddelod yn y bar hwn. Popeth yn iawn; Gwyddel wyf. Pwy sy'n pregethu? Quasimodo, Abad y Brodyr Crwm. Ond nid Gwyddel yw Quasimodo. Gwyddel oedd ei dad-cu. Felly minnau, ac roedd fy mam yn ferch i eryr . . .

—daw'r casglyddion i dynnu'r cnau-mwnci o ganghennau'r pileri, a'u tywallt fel mecryll ar sebon y dec . . .

— offeiriad mewn crys-nos porffor yn dyrchafu gwydraid arian o frandi, a'i ddal uwch fy mhen. Rwyf yn barod i rannu popeth gyda phawb. Ewch a rhennwch yn eich plith. Yfwch bawb o hwn. A'i droi wyneb i waered. Ac ohono, yn llif melyn, y tywod i gwpan fy llaw . . .

— draw ym mwg y gynulleidfa . . . hwren ddu a gwylan ar ei hysgwydd, gwylan a chrawn fy nhafod ar ei phig. Dere'n nes . . . cei roi clwyf dy dafod rhwng y perlau dannedd hyn, dy gorff byw i'm dringo . . . Dos ymaith, wylan, i bellter y môr . . . Dere'n nes . . . cei roi clwyf dy dafod rhwng y perlau dannedd hyn, dy gorff byw i'm dringo . . . Dos ymaith, wylan, i bellter y môr . . . Dere'n nes . . . rho dy fys yn gynnes i gesail fy mawd . . . awn i lofft yr oriel wellt . . . cei godi sidan fy sgert a rhythu'n wyllt i'r lleithder yn fy ngwallt . . .

— yr eryr i'm sgubo ymaith drwy lenni'r gwynt, yn gaeth at do gwydr y golau uwch y dŵr gwyn. Mor serth yw'r pinacl pig-fain, mor serth ac mor llyfn, heb wallt i afael ynddo. Cydia'n sownd! Paid â gollwng dy afael! . . . Ond mae'r cyfan mor serth ac mor llyfn . . .

— i lawr ac i lawr . . . o'r golau at y dŵr gwyn . . . i lawr ac i lawr ac i lawr . . .

Y naid sydyn o ddyfnder y gobennydd i ddistawrwydd tic-tic-tic yr ystafell ddu. Mae'r bysedd gwyrdd yn gloywi'n araf i'r golwg—hanner awr wedi tri.

Sigarèt; fflam; mwg; plyg cynnes y glustog; a'r tic-tic-tic.

*Y cyfaill 'ma yn y Sauna oedd yn dweud ei fod e'n lle dymunol.*

Rhoddodd Llwyd drwch cyfoglyd o farmalêd ar y tost tenau.
*'Just like a Cornish fishing village'—dyna'i eiriau.*

Roedd ei wyneb yn binc gan iechyd corff boreol, yn newydd gan lendid y baddonau Sgandinafaidd. Roedd cochni'r noson gynt wedi diflannu o'r llygaid a llithro i waelod y bowlen Optrex; yn ei le roedd glesni llonydd y ffiordau, disgleirdeb mor berffaith â phurdeb cân Solvejg. *Pink bonbons* meddai Debussy am felodïau Grieg, *stuffed with snow.* Disgrifiad teg o lygaid Llwyd yn nhafarn y Gwyddel gwargam. Ond roedd ei ymweliad â'r Sauna wedi adfer y ffresni.

Sauna—am wyth o'r gloch y bore! Mae'n well genn'i orwedd yn hir yn y gwely, yn golsyn dan y carthenni, na'm chwipio fy hun â fflangell y gwiail, os mai dyna sy'n digwydd mewn baddon Sauna. Ond nid felly Llwyd. Ar waethaf ei bum mlwydd a deugain fe ddeil i'w ddisgyblu ei hun ym mhethau'r corff. Yn feunyddiol ddefodol, fel Yogi brwd sy'n fodlon gaeth i blethiadau'r *asanas,* fe gyflawna Llwyd ymarferiadau dyddiol ei gyhyrau yn gyson ddi-fwlch. *Cadw'r hen gorff yn ystwyth—dyna'r peth; herio'r drefn, a chadw'r musgrellni draw. Rwyt ti, Rawlins, yn pydru yn dy ddiogi, ac yn magu bloneg.* Fe ddylwn efallai ddilyn ei esiampl—cael cawod oer cyn cysgu, i gladdu'r nwydau, a chael Sauna cyn brecwast, i'w hatgyfodi drachefn.

*Beth dd'wedaist ti oedd enw'r lle?*

*Dungarvan, rhyw ddeng milltir ar hugain y tu draw i Waterford.*

Waterford—enw cyfarwydd am ryw reswm. Y gwydr efallai.
*Beth am le i aros? Oes yno fythynnod neu rywbeth tebyg?*
*Am wn i. Ond paid â phoeni; mi elli di fentro fod gwesty yno.*

Gwelwn y bwthyn gwyngalch ar unigeddau'r graig yn mynd ymhellach, ymhellach, a llawysgrifau'r llyfrau anorffenedig yn gorwedd yn angofiedig ar silff waelod rhyw gwpwrdd-dillad mewn gwesty gwydr, gwesty a'i garpedi'n wastadeddau o fynd a dod meddal a di-sŵn. Roeddwn yn dechrau synhwyro erbyn hyn fod Llwyd, ar waethaf yr holl siarad am fwthyn ac am ddymunoldeb llonyddwch gwledig, yn cael mwy o flas ar faldod moethus y math hwn o fyw—yr oriau hwyr mewn neuadd eang o ystafell, a llanc mewn gwisg wen, ar orchymyn bys, yn ymgnawdoli fel gwas y llusern i weini arnom; brandi a choffi ar hambwrdd; sigâr hir o flwch pren tenau fel papur, a blas mintys ar siocledau sgwâr; y corff noeth yn ddigywilydd rydd dan chwistrellau sadistig y dŵr oer—troi'r ddolen arian, a chodi'r wyneb at fendith y gawod gynnes; esgidiau y tu allan i'r drws yn orchwyl i sgleiniwr cuddiedig y nos; ffôn wrth y gwely i alw'r llanc a'i hambwrdd eto; hwiangerddi'r donfedd hir yn diferu dros wynder y clustogau; y deffro melys i bot coffi a phapur newydd; penyd iachusol y Sauna; brecwasta ham-ddenol y tost euraid a'r trwch cyfoglyd o farmalêd.

Pa obaith oedd gan fwthyn gwyngalch a'i waliau'n gam yn nannedd y gwynt? Y lloriau'n galed ac anwastad; llestri yn y sinc, a saim y swperau'n ceulo ar blastig y badell; darllen, yn hanner tywyllwch y tŷ-bach, y print ar sgwarau o hen rif-ynnau'r papur lleol, sgwarau'n crogi ar gortyn wrth fachyn rhydlyd yn y drws tyllog. Doedd gan y bwthyn ddim gobaith yn y byd.

*Os gelli di fynd â'r bagiau i'r car, mi a' i i dalu'r bil.*
Dy ddymuniad, O Frenin, yw fy ngorchymyn!


Roedd yn dda cael eistedd yn y car—ac nid yn sedd y gyrrwr y tro hwn—a theimlo ein bod o'r diwedd ar gychwyn taith i gyfeiriad hollol ddieithr, heb wybod yn iawn beth i'w ddisgwyl. Nid oedd digwyddiadau'r noson gynt ond rhyw chwarae ar drothwy'r lle, sbort plant ar stepyn y drws. Ond yn awr fe gaem weld yr ynys ei hun, anturio i'w chanol a'i darganfod yn iawn. Bron na theimlwn fel crwt o ben y cwm yn mynd i lan y môr am y tro cyntaf, yn aflonydd ddisgwylgar, a phob tro yn y ffordd yn blwc bychan o bleser, pleser yr anghynefin sydyn, yr olygfa newydd annisgwyl, y gweld gwreiddiol, fel gweld y bae o dop simsan trên y Mwmbwls.

*Fe weli di fap rywle yn y cefn* meddai Llwyd, *o dan y llyfrau 'na, os gelli di ddod o hyd iddo.*.

Annibendod rhy gymhleth i'w ddisgrifio—llyfrau, papurau, llythyron heb eu hateb. llythyron heb eu hagor hyd yn oed, esgid y buwyd mae'n debyg yn chwilio'n hir amdani . . .

*Gorffen y cwpled yma—Chwilio yman amdani . . .*

*Rhy hawdd o lawer—Chwilio hwnt heb ei chael hi!*

. . . miloedd o stampiau'r Darian Werdd, nodiadau ar lên y Dadeni, fflasg thermos, rhifynnau aneirif o *Barn,* a briwsion caled hen bicnic yn y coed. Ac yno, ym mherfeddion dyfnaf y domen, y map o Iwerddon.

*Gorffen di hwn 'te—Yn Lerpwl, un tro, rhoes ei wisg a'i wynepryd sioc . . .*

Fe ddysgwyd y gêm blentynnaidd i ni gan un o'n cyd-athrawon ar deithiau'r adran i leoedd fel Ystrad Fflur a Phantycelyn. Roedd yn well gan y tiwtor hwnnw glywed y myfyrwyr yn adnoda'r beirdd na chanu'n goch am gampau Nel yr Esgimo boeth.

*. . . I bublicanod a phechaduriaid y doc.*

Ar ôl dadwneud plygion y map, gwastatáu'r pletiau, a chwythu'r briwsion o rigol ambell i blyg, rhoddais y wlad werdd yn agored a chyfan ar fy arffed.

Map gwlad yw un o'r pethau mwyaf rhamantus mewn bod, boed ynys ym Môr y Canoldir neu gornel o Wlad yr Iâ. Rhoi bys ar ddinas, croesi mynydd ar linell goch, mesur milltiroedd rhwng bys a bawd, rhwng afon a ffordd. Dyw enw lle yn ddim ond marc ar bapur, ac eto, yno yn rhywle, dan res y llyth-rennau duon, mae chwaraele'r morgrug, y strydoedd byw, anadliadau'r gwres yn y cyrff, trigolion y cronglwydydd dan haul a glaw. A phan ddaw, ambell waith, y darganfod ei hun—y lle fel petai, yn y cnawd, a ninnau'n un â'r coed a'r concrid, y cig a'r gwaed — gellir llosgi'r enw papur, rhoi'r map yn y fflam, y freuddwyd i afael y tân. Ar y map o'm blaen nid oedd ein ffordd ond llinyn rhwng dau le, ond ym modfedd a hanner ei llun yn y lliw gorweddai milltiroedd ein gwefrau bychain rhwng olwynion yr haul.

Dilynais â'm bys y ffordd fawr o Rosslare i Wexford, ymlaen drwy New Ross ac i Waterford (beth ynglŷn â'r enw hwnnw a barai'r anesmwythyd yn fy meddwl?) a cheisio amcanu cyfanswm y milltiroedd.

*Deugain milltir, fwy neu lai, o Wexford i Waterford. Faint yw hynny—awr a hanner?*

*Ie, rhywbeth felly.*

*Beth am aros yn Waterford i gael pryd o fwyd, ac anelu am y pentre 'na—Dungarvan—erbyn amser te?*

*Iawn.*

Nid oedd angen llawer o grebwyll i weld bod Llwyd yn ei fyd ei hun eto. Er ei fod yn gyrru'r car â digon o bwyll cyfrifol ac yn fyw i bopeth oedd yn digwydd ar y ffordd, gallwn weld bod ei teddwl ynghlwm wrth rywbeth. Ond pan ddaethom i gyffiniau Wexford fe ddeffrôdd yn sydyn.

*Coffi* meddai, gan dynnu'r car o'r ffordd at ddrysau dwbwl gwesty lled newydd yr olwg.

Aethom drwy'r cyntedd golau i ystafell y byrddau coffi a chael lle wrth ffenestr agored. Daeth merch i gymryd ein harcheb, ac ymhen ychydig funudau dychwelodd â dau wydraid o goffi Gwyddelig.

*Wel* meddai Llwyd, *dyma ni ar y ffordd. Iechyd da i ti!*

Trwy'r ffenestr agored gallem weld bod y dref dipyn prysurach nag ydoedd y noson gynt. Tra'r yfem ninnau ein coffi blasus âi'r Gwyddelod o gwmpas eu busnes. Doedd y dref hon ddim yn wahanol i unrhyw dref arall. Yr un oedd y patrwm—i mewn trwy ddrws siop, ac allan; prynu, gwerthu, cyfnewid; dwy'n clebran, rhywun yn gweiddi ar draws y traffig; plentyn yn loetran; plismon yn gwylied gweithwyr yn trwsio'r ffordd, ac yn rhannu jôc gyda nhw cyn symud ymlaen at fodurwr ffwdanus yn ceisio parcio'i gar mewn bwlch rhy fach o lawer; ci'n codi ei goes a gwlychu bwced sbwriel; cân aflafar o siop recordiau; moduron, lorïau, ambell i feiciwr, yn symud, aros, a mynd, ac aros eto wrth olau—pob un yng ngafael crafanc ei orchwyl.

Beth oedd gwaith y tenor tybed? Yr unawdydd a ddysgodd gan Llwyd beth oedd cân Gymraeg a phwy oedd Dafydd ap Gwilym. Cario llythyron? Bwtsiera? Trwsio 'sgidiau? Cadw siop? Siop peiriannau gwnïo efallai. A chwmni rhyfedd y mwg wedyn, drychiolaethau'r niwl, beth amdanynt hwy? Roedd pob un ohonynt erbyn hyn yng ngolau'r haul, pob un yn sownd wrth arferion ei feunyddioldeb peiriannol, undonog. I mewn ac allan, allan ac i mewn; Siôn a Siân y glaw a'r gwres; pendil y cloc; mi af i'r ysgol heddiw a'm llyfr yn fy llaw, heibio i'r castell newydd a'r cloc yn taro naw; tic-toc, tic-toc, tic-toc; coch, coch-a-melyn, gwyrdd, melyn, coch, coch-a-melyn . . . Yr un oedd y patrwm i bob golwg. Ac eto, heb fod ymhell—modfeddi ar y map—roedd ambell i ysgytwad yn rhwygo'r patrwm. Tic-toc, tic-toc . . . a bwthyn Siôn a Siân yn yfflon, yn focs matsus yn y gwter.

Y tenor yn bostmon efallai, ac yn ei law—marwolaeth hyll yn dwt mewn amlen.

*Beth sy'n bod ar y Gwyddelod, d'wed ti!*
*Beth wyt ti'n 'i feddwl?*
*Y llofruddio diawledig 'ma. Ry'ni'n yfed coffi'r funud yma mewn gwlad lle mae'r plant yn lluchio cerrig at danciau a milwyr arfog. Ry'ni yma, myn yffarn i, ar ein gwyliau, ac maen nhw wrthi nawr mewn ceginau neu ryw gwts-dan-stâr, yn llunio'u teganau marwol. Maen nhw'n postio llythyron at ei gilydd, cerdyn pen-blwydd i chwythu rhywun i dragwyddoldeb. Mae'r diawliaid lloerig yn hollol wallgo'!*
*'Allwn ni ddim deall y peth; mae'r sefyllfa'n rhy ddyrys. Mi wn i fod hynny'n swnio fel ystrydeb, ac yn swnio braidd yn hurt efallai, ond mae e'n wir. Dim ond Gwyddel sy'n gallu deall Gwyddel. Mae'n amhosib' i neb o'r tu fa's ddeall eu teimladau nhw. A mae'n rhaid eu bod nhw'n cael eu geni â'r casineb yn eu gwaed.*

*Yr Ynys Werdd! Ro'wn i'n meddwl ar y ffordd o Ross-*
*lare—pan oeddit ti'n cysgu wrth yr olwyn—meddwl am swyn*
*yr enwau ar y map, Killarney, Tralee, Connemara. Gweld yr*
*enw 'An Spideal', a chofio am Gwenallt yn mynd yno. Roedd*
*hyd yn oed Tipperary yn golygu rhywbeth rhamantus, er ei fod*
*e efallai yn simbol o dristwch ac uffern y rhyfeloedd. Ond*
*roedd 'no ryw gymaint o ramant yn arwriaeth y mynd, y*
*martsio i nodau'r alaw. Ond mae'r enwau wedi newid erbyn*
*hyn; mae 'no restr newydd. A dyna 'ti enwau uffernol—Bog-*
*side, Falls Road, Shankill Road . . .*

*Damo! Paid â'u hadrodd nhw'n rhy uchel, rhag i rywun*
*gamddeall. Mae'n saffach i ti weiddi enw Solzhenitsyn yn y lle*
*'ma na sibrwd enwau felly!*

*Paid â sôn am hwnnw. Rwy'i newydd orffen 'Gulag'. Dyna*
*'ti waith caled!*

*Gad hi yn y man'na 'te. Yf dy goffi, ac anghofia'r Bogside er*
*mwyn dyn. Cer' 'nôl at yr enwau eraill 'na—Tipperary a*
*Connemara.*

Llwyd oedd yn iawn; ceisio anghofio oedd orau. Gwneud
twll mawr, a chladdu gwŷr yr 'archipelago' yn mudandod eu
gwacter marw. Rhoi'r pridd ar wynebau'r hacrwch, a phlannu
blodau'n drwch ar y drewdod. Gorchuddio pydredd y croen
briw â mantell bersawrus o betalau lliw'r lafant a phinc a
phorffor. Plastro siwgwr ein telynegion dros hyllni arswydus y
bedd, rhoi angel gwyn ar ddüwch yr angau, a chanu
hwiangerdd Sul y Blodau. Hynny sydd orau. Llaw dros y
llygaid rhag gweld yr ysgyrion gwaed, gwlân-cotwm yn y
clustiau rhag clywed sgrechfeydd y plant. Hynny sydd orau.

Hynny sydd orau mewn emyn a cherdd, mewn nodyn a gair.
A'r nofel yng ngwaelod y bŵt—beth am honno? Doedd hi'n
ddim byd ond stori arwynebol ddiystyr, fel stori dylwyth teg.
Onid gwastraffu fy amser a'm hegni yr oeddwn wrth geisio
dychmygu realrwydd ffug a chreu, *ex nihilo,* ryw sefyllfa
ddiddorol a allai fod yn ddifyrrwch awr i ferched canol-oed o
dan y sychwr-gwallt? Rhywbeth bach i gadw'r iaith yn fyw,
gwerth hanner can ceiniog o eiriau i estyn oes y Gymraeg. Fe

ddylwn ysgrifennu am ddryswch anobeithiol yr enaid, am fy rhagrith heintus fy hun, am ddiefligrwydd y drefn sy'n bygwth ac yn wir yn treisio hunaniaeth fy mhlant, am Gymraes yn Holloway, am Gymro yn Walton. A phe bawn i'n gwneud hynny fe'm cyhuddid o elwa, yn fy niffyg diffuantrwydd, ar ddidwylledd dilys y rhai sy'n dioddef o'm hachos i a'm tebyg. Fe ddigwyddasai hynny eisoes, fwy nag unwaith. Dyw ysgrif-ennu cerdd, medden nhw, cerdd am ddioddefaint pobl ifainc Cymru yn ddim ond curo dwylo meddal o bell gan gachgi diegwyddor sy'n dal o hyd i dalu am drwydded ei deledu lliw.

*Beth am gael un wisgi bach cyn ei baglu hi?*

Ac felly y bu.

Doedd yr ystafell ddim yn orlawn, ond roedd hi 'mhell o fod yn wag. Os oedd y stryd y tu allan yn ddarlun o fywyd normal tref rhwng brecwast a chinio canol dydd, roedd yr ystafell hon yn ddrych teg o hamdden y sawl sy'n medru fforddio yfed yn y bore a sgwrsio'n ysgafn am amryfal bethau bywyd. Ar wahân, wrth gwrs, i bobl fel Llwyd a mi a ddigwyddai fod yn deithwyr yn gorffwys wrth y ffynnon. Ond dyna, mae'n debyg, oedd y mwyafrif o'r rhai a ddrachtiai eu coffi-gwirod o'r gwydrau llun-iaidd.

Ni allwn lai na sylwi ar gwmni o Americanwyr—hawdd adnabod y rheiny ymhobman, yn llewys cwta'u crysau lliwgar, crysau'n bloeddio gan batrymau blodeuog afresymol, a'r strapiau camerâu yn rhaffau o ledr sgleiniog am eu gyddfau breision. Teithwyr oedden nhw hefyd yn turio ar hen aelwyd y teulu. Ond nid mintai o bererinion blinedig mohonynt, wedi aros wrth y ffynnon, yn gymaint â chriw swnllyd goludog yn ymddwyn fel petaen nhw eisoes wedi prynu'r ffynnon.

*Ry'ni wedi cymryd trosodd gyfeillion; mae dilyw y doleri yn llyncu'r cyfan . . .*

*Stick 'em up!*

*Fi yw Jesse James a fe yw Doc Holliday; Fo a Fe; Cagney a Bogart.*

*Rhowch yr Indiaid Cochion i drengi mewn corràl, a'u gwenwyno â phopcorn a nwdls.*

*Ni sy'n cerdded, ac yn llamu'n araf fel llyffantod breuddwydiol ar lwch y lleuad, mae gennym hawl ar bopeth.*

*Dyma i chi sachaid o arian papur; rhowch i mi gwpanaid o goffi.*

*Agor dy goesau, forwyn fach y cwm, a rhoddaf i ti bâr o sanau silc.*

*. . . Lorïau o liw gwyrdd lleidiog wedi aros wrth glwyd yr ysgol, a'r milwyr hael yn taflu cawod o siocled atom.*

*Oes genn'ti chwaer bert?*

*Oes genn'ti fam unig?*

*Ydy dy dad i ffwrdd yn y rhyfel?*

*Cymer siocled arall.*

Ac fe'u gwyliem, o'n cuddfannau yng nghoed y mynydd, yn sarnu'r merched ar welyau'r gwair. Yr un tal tenau hwnnw yn agor pengliniau merch hynaf Mrs. Lewis y Widw, eu hagor nhw fel agor Llyfr Coch Hergest, yn bwyllog a gwerthfawrogol, a'i phwmpio hi fel spaniel Maes-y-Wern, ond yn arafach a chyda mwy o sŵn.

*Pwy yw'r blac 'na* meddai mam-gu wrth wraig Joni Rees dros wal y talcen, *sy'n b'yta swper yn tŷ Lisi Ca' Mawr bob nos?*

*O* meddai gwraig Joni Rees, *American soldier. Bachgen bach neis iawn medde Lisi.*

*Os dwy'i'n nabod Lisi Ca' Mawr, mae e'n ca'l mwy na'i swper sbo.* Gallai fy mam-gu weld yn glir yn afagddu'r blacowt.

*Ond 'na fe, dyw'r blac 'na sy 'da Lisi ddim gwa'th na'r pwtryn 'na sy 'da Annie ni, y mochyn diawl.*

Symudais yn nes at ddrws y tŷ-glo, ac o'u golwg.

*Doedd dim rhaid iddo fe fynd i Birmingham o gwbwl, ond 'na fe, un fel'ny yw e.*

Aethai 'nhad i weithio mewn ffatri arfau, ac anaml y deuai adref i'n gweld.

Fe ddaeth i ben flynyddoedd tywod y môr ym Mhenrhyn Gŵyr, ac fe ddaethom yn ôl i'r cwm, i fyw mewn rŵms yn Williams Street. 'Nhad yn y gwaith, minnau yn yr ysgol-fach, a mam yn tŷ yn gwneud bwyd i ni. Ro'wn i'n hoffi hynny. Ond fe dorrodd y rhyfel, ac aeth 'nhad i ffwrdd i Birmingham, mam a minnau i fyw gyda mam-gu. Roedd fy nhad-cu—tad fy mam,

nid morwr meddw fy nhad—wedi marw, ac felly doedd genn'i
ddim partner i'm tywys at ffordd y mynydd, neb i'm sychu'n
goch wrth dân coed ar lan yr afon. Fe ddeuai 'nhad 'nôl ambell
waith am benwythnos byr, ac roedd hynny'n dda. Aem am dro
i'r allt, a bwyta bara-jam o gwdyn papur. Aem i'r cwrdd ar fore
Sul. Ond nid oeddwn yn hoffi'r cwrdd mwyach.

Ac wrth ddrws y tŷ-glo roeddwn yn casáu fy mam-gu.
*Ond rwy'i'n gwbod am ei drics brwnt e—fe a'i fenwod.*

Gwasgwn fy ewinedd i bothellau'r hen baent brown ar y drws
i atal fy nagrau. Nid un fel blac Lisi Ca' Mawr oedd 'nhad;
doedd e ddim yn debyg i'r milwr tal tenau hwnnw yng nghoed y
mynydd. Dangosodd 'nhad i mi nyth dryw ar lwybr y Barli, fe
wnaeth chwibanogl bren i mi yng nghoed John Bifan. Tynnais
groen y bothell baent i ffwrdd a gadael marc ar ddrws y tŷ-glo . .

*Beth sy'n dy flino di? Wyt ti'n 'nôl yn Belfast eto?*
*Na, dim byd; meddwl am yr Americanwyr 'na oeddwn i.*

Yn ôl y map yr oedd dwy ffordd o Waterford i Dungarvan, y naill yn torri ar draws gwlad, a'r llall—drwy Tramore—yn dilyn yr arfordir. Fe benderfynasom fynd ar ffordd y môr.

*Roedd y pysgodyn bach 'na'n eitha blasus* ebe Llwyd, fel petai'r cig gwyn yn dal ar ei dafod. *Mae'n rhaid bod y cychod pysgota'n dod i mewn i Waterford. Roedd yno gei lled hir, on'd oedd.*

*Dd'wedais i wrthyt ti y byddet ti'n mwynhau pryd bach o fwyd mewn tŷ-bwyta cyffredin. Mae plataid o chips cystal â dim i ti!*

Roedd e wedi bodloni plygu am unwaith, chwarae teg iddo.

*Gan dy fod ti, fy nghyfaill Rawlins, yn yrrwr mor ofalus, rwy'n credu 'mod i'n barod i gael nepyn bach.*

Trodd yr olwyn ar ystlys ei sedd a rhoi'r cefn ar ongl esmwythach.

*Gwranda! Cyn dy fod ti'n fy ngadael i—beth am Waterford? Beth sy'n arbennig ynglŷn â'r lle? 'Oes 'no ryw arwydd-ocâd llenyddol, ryw gysylltiad hanesyddol?*

*Na, dwy'i ddim yn meddwl. Pam?*

*Dwn i ddim, ond mae genni'r teimlad 'mod i wedi clywed rhywbeth arbennig am y lle, wedi clywed yr enw rywbryd mewn cyswllt neilltuol, ei ddarllen e efallai, ac rwy'n methu'n lân â chofio.*

*Dwy'i'n gwybod dim am y lle beth bynnag, ar wahân i flas y pysgod—a blas y chips!*

Fe setlodd i siâp yr ongl newydd i freuddwydio, am wn i, am *Cod en fricassée à la Suède.*

Wedi gadael dinas Waterford a chymryd heol Tramore, roedd y ffordd yn dawelach, a'r traffig wedi teneuo'n ddim. Dyw hysbysebion Bwrdd Croeso Iwerddon ddim yn dweud celwydd—mae ffyrdd y wlad yn wag, a phleser oedd gyrru'n ddiffwdan ar hyd ffordd mor hamddenol. Doedd dim angen gofidio gormod wrth daflu golwg, nawr ac yn y man, dros y cloddiau. O dan y glesni digwmwl roedd y dolydd mor wyrdd, mor gyfareddol o lân. Wedi byw gyhyd o dan gymylau gwenwynig y gweithfeydd, ni allaf ond rhamantu'n ddwl am lendid y wlad dawel agored. Coeden unig ar ganol cae; blodyn gwyllt yn seren ar dyfiant di-drefn y perthi; aderyn yn saethu'n sydyn o grawcwellt y bryniau corsog; y graean mân dilychwin dan wydr y dŵr. Man gwyn, man draw wrth gwrs, breuddwyd wlanog, ddisylwedd yng nghaethiwed syrffedus y terasau cyfarwydd. Y gwir yw na allwn feddwl am adael strydoedd caled pentrefi'r cwm a dianc i wynfyd annelwig cefn gwlad.

Mae'n gas gennyf dywyllwch y nos rhwng y tai; mae arnaf ofn y tywyllwch hwnnw, ac mae nos y wlad yn dew gan fwganod. I mi, mae gweld golau mewn ffenestr, a chlywed sŵn traed ar y ffordd, neu besychiad cymydog yng nghefn ei dŷ yn gyfystyr â diogelwch y cynefin. Nid fy mod yn garwr cymdogion. I'r gwrthwyneb, rwy'n eu casáu yn amlach na pheidio, am eu bod nhw mor fusnesgar, mor blentynnaidd-eiddigeddus, mor fodlon ar eu bychander Philistaidd. Nid y nhw sy'n bwysig i mi, ond eu bodolaeth nhw, presenoldeb y ffurfiau dynol o'm hamgylch, yn fur rhyngof a hunllef yr unigrwydd diobaith, di-yfory, unigrwydd perffaith y llechweddau tywod dan gleddyf poethwyn y cyhydedd, yr unigrwydd sy'n llosgi asgwrn yn grystyn gwyn na ddarganfyddir mohono gan neb rhwng y pedwar gwynt. Nid unigrwydd felly oedd unigrwydd y plentyn teirblwydd ar gynhesrwydd y traeth; deuai rhywun bob amser i'w gludo yntau yn ôl i'r tŷ, i freichiau a mynwes. Ond unigrwydd felly oedd yr unigrwydd arall—unigrwydd y crwt wythmlwydd pan oedd ei dad mewn ffatri arfau, a'r wythnosau'n hir rhwng cusanau byr y dychweliadau.

. . . Sibrydai'r sarff yn fy nghlust y gallai un o'r dychweliadau hynny fod yr olaf un—am byth, fel marw'n ddiddychwel ar un o lethrau fflam yr haul.

*Mae'n well i mi fynd sbo.*

Yr un geiriau bob tro; fformiwla anniddig yr ymadael.

*Pryd fyddwch chi 'nôl nesa?*

Yr un geiriau bob tro; fformiwla hyll yr ofn yng nghylla plentyn.

*O . . . cyn bo hir . . . paid ti â becso.*

Pen ifanc ar fynwes, hen law yn llyfnhau y gwallt.

*Ma' mangu'n gweud . . .*

*Paid ti â chymryd sylw o beth ma' dy fam-gu'n dweud. Bydd di'n fachgen da i dy fam cofia . . . Hwre . . . sych dy drwyn . . . Wyt ti'n dod i 'ngweld i'n mynd?*

*Ydw.*

Eistedd ar biler y glwyd, a'i wylied yn mynd â'i fag yn ei law hyd waelod y tyle. Ac yna, cyn troi i'r ffordd fawr, fe drodd ac edrych yn ôl, fel un rhwng dau feddwl. Ond fe gododd ei law a diflannu'n sydyn rownd y tro, fel gwylan yn mynd o'r golwg.

Eisteddais yn aml ar biler y glwyd wedi hynny, ond ni ddaeth fyth yn ôl . . .

Tair milltir i Tramore—An Tra Mhor. Os nad yw'r Wydd-eleg ar dafod pawb, y mae o leiaf i'w gweld yn glir ar arwyddion. Diawliaid ymladdgar yw'r Gwyddelod, ond maen nhw'n rhydd. Y nhw ac nid neb arall sy'n gyfrifol am y cornelyn hwn o'r ddaear. Dyw bod yn Wyddel ddim yn rhyw ymdrech ymwybodol, fel mae bod yn Gymro. Dyw'r Gwyddel ddim yn gorfod adrodd ar lwyfan ei israddoldeb *Paham y rhoddaist inni'r tristwch hwn, a'r boen fel pwysau plwm ar gnawd a gwaed.* Mae ganddo dristwch—tristwch y bom yn y bŵt—ond nid yw'n gaeth i'r osgoi bwriadol, osgoi unrhyw gysgod o ddylanwad Seisnig. Ry'ni'n gorfod eistedd ar ein cwrcwd yn y lle cul cysgodol rhwng y twlc a'r tŷ-bach rhag i ni gael lliw haul y Sais ar ein talcennau. Ry'ni'n gorfod ymdrechu i grynhoi Cymreictod o'n cwmpas, o gwmpas yr hunan, y teulu, a'r cartref. Valentine, D. J., a Saunders ar y wal uwchben y lle-tân, Salem yn y pantri, brethyn glân y defaid mân yn llenni, fel crys nos hen dad-cu, ar ffenestr y gegin, a cherrig o afonydd Cymru yn lleng yn llwybrau'r ardd. Bathodynnau'r ddraig ar wydr y car, fel cleisiau hunan-boenydio—Triban Gwyrdd a Mistar Urdd, CYM a Thafod coch yn fflam, Eisteddfod Genedlaethol Llanybabellsimsan, Cymdeithas Sipsiwn Cymru, Cefnogwch y

Jiwbili . . . Byddai'n dda cael anadlu'n rhydd a difwgwd. Fel y
mae, hanner anadlu a wnawn rhag i'r nwy seisnigwenwynig
dreiddio i'n hysgyfaint a'n mygu, ein lladd yn llwyr.

Ond ddaw hi ddim. Ddaw hi ddim tra bydd y cannoedd y
gwn i amdanynt, heb sôn am y miliynau dienw, yn dal i ofni,
ofni colli'r moethau, y melysion marsipan. *'Drychwch ar dlodi
Iwerddon—plant bach y dinasoedd heb 'sgidie—merched yn
gwerthu shamrog wrth ddrysau tafarnau, bechgyn yn begera
mewn crysau tyllog. Dy'ni ddim ishe bod yn dinceriaid
Cymreig yn hel briwsion, a fframau beics, o domen sbwriel y
Sais!* Mae'n naturiol efallai iddynt deimlo felly ar ôl blasu
diferion chwerw gwaelod y gasgen 'nôl yn y dauddegau a'r tri-
degau. Dyw'r sawl a fu'n cynilo crystynnau ddim yn debyg o
golli ofn y cypyrddau gweigion hyd yn oed ar ôl cyrraedd gwlad
y torthau cyfain. Ddaw hi ddim tra pery'r ofn hwnnw.

Os na ddaw hi, os trengi a wna'n Cymreictod ni, os colli'n
hiaith a wnawn o fewn canrif neu lai, pam ddiawl ydw'i'n
ysgrifennu llyfrau Cymraeg? Pam dwy'n cnodio merch sy'n
marw dan fy nghorff?

Rawlins! Ysgrifenna yn Saesneg, yn iaith y byw
ysblennydd!

Ond does genn'i ddim geiriau digonol; does genn'i ddim
iaith sy'n ddigon ystwyth.

Llunia iaith 'te—iaith newydd, iaith od, iaith na fydd neb
yn ei deall hi. Ac yng ngwisg yr iaith annealladwy honno,
rho ddelweddau amhosibl yn hunllc ddibatrwm o liwiau
fel enfysau trydan y teithiau cyffur.

Ond 'fydd neb yn fy neall!

Rawlins bach, paid â bod mor naïf; mae hynny'n digwydd
eisoes. Dyna gyfrinach y beirdd. Crea we wyr i ti dy hun,
poen y synhwyrau afradlon i ddrysu'r ymennydd oer. Rho
hylif yr anweledig farc yn y botel inc, afreswm y gwacterau
yn acen ar sillafau dy sŵn. Arllwys y cyfan, y trwyth
rhiniol, trwy dwndish ceg-agored y beirniaid, a chei
hedfan yn uchel i binaclau'r haul a'r Maen Llog.

A hwy a ostyngant eu gliniau ger fy mron, ac ar dafodau'r
salm hwy a ddywedant—John Rawlins, Ardderchocaf

Dywysog yr Awen ar gwmwl y geiriau hardd, ni ddeallwn mohonot; ni allwn, yn y tlodi hwn o gnawd marwol, amgyffred gwirionedd y golau sydd ynot, y llewyrch yn y llais, ond yffarn, John Rawlins, rwyt ti'n fardd da!

Onid yw gyrru car yn beth od? Cydio mewn olwyn, cadw llygad ar y ffordd, gwasgu pedalau, arafu, newid gêr, troi cornel, cyflymu . . . a'r cyfan mor llyfn anymwybodol, mor beiriannol ddiymdrech. A'r tu ôl i symudiadau'r ufudd-dod i arfer, y rhyddid i grafu rhwng blew y ffroenau, i chwilio crachen yng ngwallt y pen, a llithro i breifatrwydd y ffantasïau braf.

Fe ddylai'r môr ddod i'r golwg cyn bo hir. Dwy filltir i Tramore. An Tra Mhor! Tralee . . . Connemara . . . Tipperary.

It's a long way to Tipperary, it's a long way to go . . . Milwyr yn martsio i'r llaid yn ffosydd Ffrainc, i'r gwair yng nghoed y mynydd, i mewn i ferch hynaf Mrs. Lewis y Widw. Mae hi, druan fach, erbyn hyn, yn fam-gu siŵr o fod, neu'n hen ferch ar astell ddi-wres y gwrthodedig. Duw! roedd y boi tal tenau 'na yn rhoi 'sgytwad iddi! Meddyliais droeon wrth eistedd ar biler y glwyd a oedd yno blant wythmlwydd mewn coed yn Birmingham yn gwylied fy nhad yn agor menyw ar y gwair.

Fe fu'r gân filitaraidd yn ddigon i ddeffro Llwyd am eiliad neu ddau.

*Ble ry'ni?* gofynnodd.

*Newydd ddod i olwg y môr.*

*Mi welais i ddigon o hwnnw ddoe. Di'una fi pan gyrhaeddwn ni'r lle 'na.*

*Reit.*

Ac fe aeth yn ôl i gysgu am yn agos i ugain milltir, ugain milltir o arfordir unig. Âi'r ffordd, ar brydiau, yn agos iawn at erchwyn y creigiau. Codai clogwyni llwydion fel caerau gerwin uwch cilfachau dyfnion y dŵr, ac yn hafnau'r tir tywyll hawdd oedd dychmygu'r hwyliau carpiog a'r distiau rhydd yn arnofio rhwng llanw a chraig. Ond dyna ddigon o ramantu! Cydio mewn olwyn, cadw llygad ar y ffordd, gwasgu pedalau, arafu, newid gêr, troi cornel, cyflymu . . .

Doedd y wraig a gadwai'r siop ddim yn gwybod am fwthyn yn y pentref, ond petae'ni'n mynd i Ballynacourty neu Ballyna-gaul roedd hi'n bosibl y caem ni rywbeth yno. Diolchais iddi, a thalu am y cerdyn-post a brynaswn i'w anfon adref at Gwen a'r plant—llun mul yn cario mawn. Gallwn roi 'Dad' uwchben y creadur llwythog.

Roedd Llwyd wedi mynd i chwilio am le tebyg i Ganolfan Groeso. Teimlai'n siŵr fod ganddyn nhw restr hir o fyth-ynnod, ffermdai, fflatiau. Popeth, meddai—siediau, cytiau ieir, ambell dwlc mochyn—popeth! Hynny yw, os oedd canolfan felly yn y lle o gwbl.

Wrth groesi'r sgwâr llydan i fynd 'nôl at y car, gwelais enw y bu'n rhaid i mi edrych yn hir arno cyn credu fy mod yn gweld ac yn darllen yn gywir. Enw ar arwydd ffordd ydoedd, enw du ar gefndir gwyn, gair ar bost ar sgwâr agored Dungarvan. Teimlwn wres rhyfedd yn codi drwy fy nghorff, fel petawn wedi fy nal yn noeth lymun yng nghanol y dref. Cappoquin—dyna'r enw. Cappoquin—un milltir ar ddeg. 'Allwn i ddim bod yn hollol siŵr mai dyna'r enw a glywswn flynyddoedd yn ôl, ond yr oedd y ffaith i'r gloch ganu mor eglur pan sylwais ar yr enw yn peri i mi deimlo'n lled hyderus mai dyna'r enw a lefarwyd gan fy nhad yn y dyddiau cynnar, dyddiau'r hapusrwydd a'r byw cyfan. Cappoquin—enw a fu'n sŵn digon derbyniol ar dafodau'r teulu yn y cyfnod cyn i'r casineb ymffurfio'n orchymyn haearn—*Os gweli di fe, croesa'r hewl!* Cappo-quin—dyna'r enw, man geni fy nhad-cu.

Ble ddiawl mae Llwyd!


Afrealrwydd y freuddwyd ddieithr honno sy'n bodoli ambell waith y tu mewn i derfynau'r freuddwyd normal feun-osol—profiad felly oedd gweld yr enw, profiad dyrys a thwyll-odrus. Cysgu, ac o dan yr amrannau tywyll gweld yr hunan mewn breuddwyd yn deffro o freuddwyd arall, a dal i gysgu o dan y cloriau llonydd. Deffro heb wybod ai deffro a wnaethom; petruso wrth ddod allan o labrinthau'r ansicrwydd.

Roedd yr enw a welwn o flaen fy llygaid yn ddigon real, yn enw byw ar le o fewn fy nghyrraedd, yn bentref, yn gwmwd, yn gwlwm o dai rhwng gwrychoedd a choed a chân adar, yn feini a ffenestri rhwng y clai a'r cwmwl. Roedd yno le, ac roedd arno enw, ond ai'r enw hwnnw oedd y gair a glywswn, y sŵn yr oedd yr adlais ohono yn dal i hongian yn y pellter canol rhwng y plentyn a'r dyn?

Y crwt yn ei gap gwyn ym melynder cynnes yr haul, ac yn ei ymyl, yn ei wylied yn chwalu'r tyrau tywod—y garddwr ar ei gwrcwd.

*Weli di'r môr mawr 'na? Ryw ddiwrnod, fe groeswn ni'r dŵr 'na; mynd ymhell i weld y byd. Hwylio ar long emwyth i chwilio am ynys dawel hyfryd lle nad oes dim ond haul a hapusrwydd, fel heddi—pob dydd fel heddi. Ynys lle mae pawb yn iach, ac yn byw'n hen, lle nad oes neb yn gorfod slafo mewn meline tun na gwaith stîl na phwll glo . . .*

Siarad ag ef ei hun yr oedd mae'n debyg. Ni ddeallai plentyn y cap gwyn liw'r freuddwyd am y pellter diofid y soniai'r garddwr amdano. Ond carai er hynny sŵn y geiriau ar dafod ei dad, acenion y rhamantu mewn stori ddiniwed.

*. . . ac fe wnawn ni'n llong ein hunain, o ddur gorau Morgannwg. Fe gaiff tad-cu fod yn gapten arni; mae e'n deall y môr ac yn gwybod y ffordd. 'Ľd'wedes i wrthot ti, on'do, taw morwr oedd tad-cu pan oedd e'n ifanc. Morwr yn llynges y Frenhines Victoria. Fe hwyliodd i ffwrdd pan oedd e'n fachgen, hwylio o Waterford . . .*

Waterford—dyna gyfrinach y lle hwnnw, y cei hir a'r llongau, y pysgod o'r môr, a'r cychod lliwgar.

*. . . fe ymadawodd â'i gartref yn Cappoquin un bore, a mynd i weld y byd.*

Rhaid mai dyna'r enw, yr un enw â hwnnw ar yr arwyddbost. Un milltir ar ddeg yn unig.

*Gefaist ti ryw lwc?*

*Naddo, ond mae genn'i awgrym . . .*

*Chefais innau ddim chwaith; does 'no ddim swyddfa o unrhyw fath i'w gweld yn unman. Mi welais westy cofia, ac felly,*

*na fydd ddigalon fy mrawd, na fyddwn fel rhai heb obaith, ys
d'wedodd y pregethwr.*

*Gwranda, mae genn'i syniad . . .*

*Rawlins bach, paid â dweud bod genn'ti syniadau! Dyw
beirdd ddim yn ymboeni â rhyw bethau anniddorol felly!*

*Na, gwranda . . . dere draw man hyn am funud.*

Euthum ag ef at yr arwyddbost, fel petawn i'n mynd â
rhywun i weld cerflun neu ddarlun anghyffredin mewn
amgueddfa neu oriel.

*Edrych ar hwnna.*

*Cappoquin. Un milltir ar ddeg. Oes 'no rywbeth arall y
dylwn i weld?*

*Na, dyna'r cyfan. Ond dyna 'ti'r lle ry'ni'n edrych
amdano—Cappoquin.*

*Beth wyt ti'n feddwl? Wyt ti'n gwybod rhywbeth am y lle?*

*Wel . . . ydw . . . a na'dw.*

*O diawl! Dwy'i ddim yn dy ddeall di nawr.*

*Rwy'i bron â bod yn siŵr mai yn y lle 'na—Cappoquin—y
ganed 'y nhad-cu, tad fy nhad.*

*Cer' odd'na!*

*Na, wir i ti . . . wel, rwy'i bron â bod yn siŵr.*

*Wel damo! Dere te!*

Ac fe drowyd trwyn y car i gyfeiriad Cappoquin.

Yr ymchwil am yr hanner arall—nid oedd hynny wedi bod yn fater i'm blino erioed, am a wyddwn. Yn sicr, ni bûm yn ymwybodol o anniddigrwydd felly. Roedd absenoldeb y naill hanner yn ffaith yr oeddwn wedi dysgu byw yn ei chysgod, fel petawn wedi fy nghyflyru i gredu bod yr hanner arall yn fwy na digonol. Ni feddyliais am y posibilrwydd o gyfannu'r haneri, o lenwi'r gwacter. Mae'n debyg fy mod, o bryd i'w gilydd, wedi dymuno cyfanrwydd wrth synhwyro naturioldeb llawnder felly ym mhrofiad cyfeillion a chydnabod, ond hyd y gallwn weld ni bu'r awydd erioed yn glwyf agored. Ar y llaw arall, ni allwn fod yn siŵr na buasai'r hiraeth yno yn rhywle ar hyd yr amser, yn gancr llonydd ac anweledig yng ngwaelod fy nheimladau. Ac eto, ar y ffordd dawel hon o ddyfnder y môr i gyfeiriad y mynydd, y ffordd naturiol at ddechreuadau a phob doe, ni allwn yn fy myw ddeall paham na ddaethai'r dolur i'r golwg flynyddoedd ynghynt. Mae'n wir bod ambell atgof wedi brigo i'r wyneb nawr ac yn y man; digwyddasai fwy nag unwaith yn yr wythnosau a ddilynodd ein penderfyniad i fynd i Iwerddon, ac roedd eisoes wedi digwydd ar ddechrau'r daith ei hun. Ond er bod yr atgofion wedi codi'n ddirybudd i'r meddwl, doedd y darnau ddim wedi ymffurfio'n gyfanrwydd o angen neu'n awydd i ddiwallu angen. Doedden nhw'n ddim ond gweddillion tameidiog o'r gorffennol, fel olion hen longddrylliad, darnau ar chwâl yn unig. Erbyn hyn, roedd y gorffennol drylliog hwnnw yn dechrau corddi ynof.

Ar y sedd gefn, yng nghanol yr annibendod, roedd yr esgid honno y daethwn o hyd iddi wrth chwilio am y map—yr esgid heb ei phartner, y naill hanner o bâr anghyfan, yr un ar ei phen ei hun. Roedd yno esgid arall yn rhywle, yr un mor od yn ei hamddifadrwydd. Hanner yn chwilio am hanner—dyna yw gwreiddyn pob cyplu corff meddai'r Groegwr 'slawer dydd.

Cyfrinach y cnawd rhwng gwryw a benyw, darganfod y sylwedd sy'n bresennol y tu ôl i bob absenoldeb.

Datgyplu . . . datgyplysu . . . datgysylltu . . . torri . . . hollti . . . rhwygo . . . gwahanu . . . ysgaru. Mae yno gymaint o eiriau i fynegi gwaelod y cymhlethiad a'm gwnaeth, heb yn wybod i mi fy hun, yn wahanol i blant Twm Davies a phlant Joni Rees. A dyma gyfle i ddechrau ar y broses o ailgyplu, rhoi'r bachyn eto yn nhwll y ddolen, a chyfannu'r gadwyn a dorrwyd ddeng mlynedd ar hugain yn ôl. Dechrau casglu'r teulu at ei gilydd unwaith eto, a hynny yn y man pellaf, mwyaf dieithr—yn Cappoquin, yn chwarter olaf y ganrif ddiwethaf, a morwr ifanc yn llynges Victoria.

*'Oes genn'ti berthnasau yno o hyd?*

*'Does genn'i ddim syniad. Pan aeth 'nhad i ffwrdd fe dorrwyd pob cysylltiad, ac yna, ymhen rhyw ddwy flynedd, pan ddaeth yr ysgariad—yn swyddogol a chyfreithiol felly—fe ddodwyd y clawr ar bopeth. Ac mae'r cwbl wedi bod yn dywyll ers hynny. Dwy'n gwybod dim amdanyn nhw.*

. . . Deg oed, a'r ysgariad fel cleddyf.

Roedd y gaeaf yn gynnes a chlyd o flaen y tân—gorwedd yn fy hyd ar y mat a darllen llyfr yng ngolau'r fflamau. Mam-gu'n crasu yn y gegin gefn, a mam yn cyweirio 'sanau. Y tu draw i'r llenni trwchus canai'r glaw ar y gwydr am ddedwyddwch aelwyd, am yr ynys ym môr y nos. Syrthiai ambell nodyn i lwnc y simne a hisian ar y glo.

Ymddengys y cyfan mor hen-ffasiwn erbyn hyn. Y tegell mawr du yr oedd ceisio'i godi'n waith caled i blentyn gan ei fod mor drwm a'r ddolen bres mor boeth; y ddau bentan uchel a'r barrau solet y byddai fy mam-gu, yn blygeiniol gyson, yn eu rhwbio'n ddisglair â'r brws blacléd; yr haearnau smwddio yn sefyll ar eu sodlau fel dau filwr yn gwarchod yr aelwyd; y cadeiriau pren cefn-uchel a'u seddau'n llithrig gan amlder y defodau cwyro. O feddwl, rhyfedd nad oedd Salem yn hongian ar y wal. Roedd yno luniau eraill, mewn fframau duon llydan: y dosbarth Ysgol Sul y bu fy nhad-cu Cymreig a da yn ddisgybl ynddo, llun mawr o ddosbarth niferus—deg ar hugain o anghydffurfwyr llwydion, pob un â'i goler caled a'i fwstas—yn difrif ddiwinydda ar brynhawniau Sul 1905; priodasau sidêt y plant yn oriel sepia ar y seidbord, pob priodas ond un; llun brown arall ar y silff-ben-tân o filwr ifanc a laddwyd yn Ffrainc yn y Rhyfel Cynta. Ond ar y llofft roedd lluniau mwy deniadol mewn lliw. Awn i gysgu bob nos yn saff o dan y gwartheg gwynion a sychedig a ddrachtiai ddŵr bas yr afon uwch y geiriau euraid 'God is Love'. O dan fy nghwrlid bach crefyddol gwyliwn y da'n yfed yr afon. Ai hon oedd yr afon a lyncwyd gan Iesu Grist?

A'r noson honno, yng ngaeaf y glaw, dawnsiai sidanau nwyfus a phryfoclyd y fflamau tân ar wynebau sobor difynegiant y diaconiaid a safai'n stiff ddi-wên yn ffrâm yr Ysgol Sul.

A mam yn rhoi gwlân ar y tyllau.

*Ydy Annie ni 'na?*

Llais Jac ei brawd yn y gegin gefn.

*Ydy, beth sy'n bod?*

*Mae e 'nôl, a mae e 'na—gyda hi!*

Rhoes fy mam y gwlân a'r nodwyddau ar y ford yn dawel ac yn araf.

*Aros di man hyn* meddai, a mynd i'r gegin gefn.

Curai fy nghalon ynof. Roeddwn am fynd i'r cwts-dan-stâr i orwedd ar y gwely pren a baratowyd i mi adeg y cyrchoedd awyr—y lle mwyaf diogel yn y tŷ i gyd—a rhoi fy nwylo dros fy nghlustiau. Ond roeddwn am glywed hefyd.

Roedd mam wedi cau'r drws rhyngof a'r stafell arall ac ni allwn glywed y cyfan. Siaradent yn ddistaw, ac eithrio mam-gu; gallwn ei chlywed hi'n eitha clir.

*Mi ladda' i'r diawled! O 'merch fach i.*

Gwyddwn yn iawn beth oedd yn digwydd, oblegid fe'u clywswn yn siarad o'r blaen—*Mae'n rhaid i ni 'i ddala fe yno, a cha'l tyst gyda ni, rhywun o'r tu fa's i'r teulu.*

Roedd yn amlwg i mi fod 'nhad wedi dod 'nôl o Birmingham, wedi dod 'nôl i weld y fenyw a adwaenwn i fel 'yr hwren ar lofft y cwrdd'. Rhaid bod rhywun wedi ei weld, ac wedi mynd i ddweud wrth Jac.

70

*Os ca'i afel ar y mochyn ffacsog!*

*Mae'n rhaid i chi aros gyda John. Fe a'i gyda Jac, ac fe alwn i am Emlyn ar y ffordd.*

Emlyn Williams oedd hwnnw, un o ddiaconiaid Bethel. Roedd e wedi cytuno bod yn dyst pan ddelai'r cyfle.

Daeth mam 'nôl i'r gegin a chymryd ei chot-law o'r cwts. Daeth ataf a rhoi ei llaw i sarnu fy ngwallt—fel y gwnâi 'nhad 'slawer dydd—a dweud

*'Fyddai'i ddim yn hir.*

Aeth allan i'r glaw tywyll gyda'i brawd, a daeth fy mam-gu i alarnadu'n gableddus uwch fy mhen wrth y tân, y tân coch a ddaliai i ddawnsio'n ysgafn ar wynebau sych y wal . . .


Llywiai Llwyd y car yn ofalus rownd y troeon.

*'Wyddost ti, mae 'no dipyn o ramant mewn chwilio achau . . . Roedd teulu mam yn dod o'r Alban, ac rwy'i wedi meddwl yn amal am fynd ar ôl y llinach. Mi allwn fod yn perthyn i ryw deulu bonheddig!*

*Synnwn i fawr! Fyddet ti'n edrych yn dda mewn 'kilt'.*

*Gwasgu'r cwdyn a chwythu'r pibau! Dyna ti eitem newydd mewn Noson Lawen, myn yffarn i! Geraint Macsporran yn gwasgu'i gwdyn o flaen cynulleidfa werthfawrogol!*

*Dyw e ddim yn beth drwg, am wn i—diferyn bach o waed estron yn dy wythiennau di.*

*Mi ddylai fod yn fantais i fardd neu lenor. Mae dyn yn fwy diddorol os bydd gydag e odrwydd bach fel'ny. Roedd yr hen Emrys—Emrys ap Iwan—yn eitha balch, medden nhw, o'i waed Ffrengig. A mae genn'ti, Rawlins, lot o waed estron on'd oes. Diawl, rwyt ti'n chwarter Gwyddel, erbyn meddwl. Heb sôn am yr enw Gwyddelig 'na.*

*Tybed ydy'r enw yn Cappoquin o hyd?*

*Mi fyddwn ni'n gwybod cyn bo hir.*


. . . Fe'i daliwyd e'r noson honno, ac fe gafodd mam ei thyst. Fe'i daliwyd e yng ngwely'r hwren medden nhw. Clywais hynny'r noson ganlynol, ond nid gan neb o'r teulu chwaith.

*Cer' i 'nôl gwerth chwech o chips i swper* meddai mam-gu wrth baratoi'r ford yr ail noson.

Roedd hi'n dywyll ac yn dawel, a gwasgwn y pisyn chwech yn fy nwrn wrth gerdded yn ofnus i gyfeiriad y siop. Roedd yn rhaid i mi fynd heibio i'r tŷ lle y daliesid 'nhad y noson gynt. Nid oeddwn am edrych, ond ni allwn atal fy llygaid rhag mynd yn slei at ffenestri'r tŷ tywyll. Ond nid oedd yno ond tywyllwch a gwacter.

Roedd y siop gul yn orlawn, a bu'n rhaid i mi aros yng nghefn y gwt o wragedd siaradus i ddisgwyl fy nhro wrth y cownter. Pwyswn yn erbyn ffrâm y drws yn gwylied Moc Lewis, yn ei ffedog wen seimllyd, yn codi'r darnau tatws â'r teclyn mawr sgwâr rhidyllog hwnnw, eu codi at wyneb yr olew berw, cydio mewn tsipen, ei gwasgu rhwng ei fys a'i fawd, ei chael heb ei digoni, a'i thaflu 'nôl fel pysgodyn rhy fach i drochion y saim poeth.

Câi'r gwragedd wrth y cownter hwyl ar eu sgwrs.

*Glwes i fod e yn y gwely 'da hi—yn borcyn!*

*Ro'dd e yn y gwely, ond do'dd hi ddim.*

*O!* meddai gwraig Ben Sgafi, a'i cheg fach yn dwll crwn fel tin hwyaden. *Shwd 'ethon nhw miwn i'r tŷ 'de? Ro'dd hi siŵr o fod wedi cloi'r drws 'sbosib.*

*Dda'th hi ma's i'r bac i ôl glo—'na beth glwes i ta p'un i. A phan dda'th hi ma's fe 'ethon nhw miwn, a'i ffindo fe ar y llofft—yn gwely a dim pilyn yn 'i gylch e.*

Gwyddwn fod fy ngruddiau yn goch gan wres annifyr, a bod y pisyn chwech yn fy llaw fel darn o gallestr miniog yn cnoi, cnoi i'r cnawd.

*Sh!* meddai rhywun, ac fe drodd pawb i edrych 'nôl at y drws. Roeddwn yn gwylied fy nhroed yn crafu'r pren yn ffrâm y drws, ond gwyddwn fod y llygaid yn edrych arnaf, cannoedd o lygaid y byddai'n dda gennyf fod wedi dianc o afael creulon eu cyrraedd. Ond ni allwn ddianc; roedd genn'i bisyn chwech yn fy llaw i brynu swper i mam-gu a mam a minnau.

*Duw, mae'i wedi oeri'r noswithe dwetha'ma* meddai Moc, gan droi'r gath yn y badell wrth droi'r tatws yn y saim.

*Beth yw 'anes mab Jên Tŷ Top?* gofynnodd rhywun, *Hwnna fuodd yn Burma?*

*Do's dim lot o siâp arno fe, medden nhw.*

*Fe gas mab-yng-nghyfreth Blod ni'r un peth—hen dostrwydd cas.* Fe drodd y sgwrs i gyfeiriadau digon pell oddi wrth dad y crwt yn ffrâm y drws. Ond roedd yn rhy hwyr bellach. Daliai'r lleisiau cras a'u busnesu ffiaidd i grawcian yn fy nghlyw fel cleber aflafar hen wrachod cefngrwm.

Ar y ffordd 'nôl i'r tŷ, a'r pecyn swper yn gysurlon o dwym o dan fy nghesail, gwelwn yn y tywyllwch oer y llygaid agored na allwn ddianc rhagddynt . . .

*Y peth gorau, mae'n debyg, fydd mynd i'r fynwent i ddarllen y beddau, ac os nad yw Rawlins yno mi fyddwn ni'n gwybod nad dyma'r lle iawn.*

*Bydd yn rhaid i ni feddwl am le i aros hefyd.*

*Efallai fod genn'ti fodryb yn byw 'ma! Mi ddylem gael llety am ddim wedyn.*

*Tybed!*

I rai ohonom mae pob pentref gwledig yr un fath, yn fan cysglyd rhwng bryniau esmwyth, yn gorwedd yn hamddenol a llonydd heb unrhyw arwydd gweladwy o brysurdeb a busnes ymhlith y trigolion. Lle felly oedd Cappoquin pan ddaethom gyntaf i'w olwg.

Wrth nesu at y pentref yr hyn a welem oedd dyrnaid o adeiladau yn nythu rhwng y llechweddau, yn dai a thoeon a thŵr eglwys, a rhwng y muriau mwsoglyd roedd trwch o dawelwch fel yr hud ar Ddyfed. Nid oedd yno gorff byw i'w weld yn unman, fel petai'r pibydd yn ei fantell fraith wedi mesmereiddio'r plant a phawb arall â'i nodau lledrithiol, a'u tywys ymhell i goedlannau'r mannau gwyrdd. Gwelsom gi cloff ac anafus yn ffroeni perfeddion bocs yr oedd newydd ei ddymchwel yn ei awydd i flasu melysyn yng ngwaelod y sbwriel. Diau fod a wnelo'r amser o'r dydd â'r argraff hwn o anghyfanedd-dra. Aethai'r drysau'n glap ar fasnach y prynhawn, ac nid oedd y brodorion eto wedi codi o'r byrddau te a hwylio allan i ddifyrrwch yr hwyr.

Fe ddaeth rhywun i'r golwg. Hen ŵr oedrannus ydoedd yn gwthio beic cyfoed ag ef ei hun. Symudai'n araf drafferthus, a'r beic gwanllyd yr olwg yn gweithredu fel ffon, ffon beiriannol ei threigl, yn hytrach nag fel march ar gyfer y goriwaered gwych o gyflym a fodolai yn rhywle pell yn ôl. Roedd yno awgrym yn y llun fod yr hen gyfaill wedi rhoi'r gorau i farchogaeth yr olwynion ganrifoedd ynghynt. Rhywbeth i hwyluso cerdded oedd y beisicl mwyach, rhywbeth i bwyso arno wrth lusgo'r traed.

*Mi ddylai hwn wybod y ffordd i'r fynwent, meddai Llwyd, mae golwg y bedd arno'n barod, druan bach!*

Gwthiais fy mhen drwy'r ffenestr agored a gofyn iddo a allai ddweud wrthym ble'r oedd mynwent y plwyf. Edrychodd yn hir arnom cyn ateb, fel un yn ceisio penderfynu dilysrwydd y cwestiwn. Er mai canol haf ydoedd, roedd ganddo haenau o ddilladach amdano, digon i'w gynhesu yn y gaeaf mwyaf creulon, hen ddillad fel siacedi ffustian Dan Bach y Blagard a gerddai'r cwm pan oeddwn yn fach. Ond doedd hwn ddim yn debyg i Dan chwaith; nid oedd golwg iach Dan yn gwrido wynepryd yr henwr eiddil hwn. Wyneb trist Charley Peace oedd gan y Gwyddel.

Gofynnais iddo eto. Daeth fflach o ddeall i'w lygaid dyfr-llyd, a daeth sŵn o'i enau, rhyw ddreflu araf o seiniau aneglur. Roedd yn amhosibl deall y cyfarwyddiadau. Rhwng yr acen Wyddelig—acen Gwyddel na fu, yn ôl pob tebyg, hyd yn oed yn y dyddiau llachar pan oedd y beic yn ifanc, ymhellach na ffiniau agos y gymdogaeth—a dryswch blynyddoedd hir ei feddwl, ni allem ond dyfalu bod claddfa rywle ar gwr y pentref. Cododd ei fraich, fel un yn codi pwysau plwm, a dangos i ni'r cyfeiriad.

Aethom allan o'r pentref yn llwyr, hanner milltir o leiaf, croesi pont dros afon lydan, a gyrru wedyn am dipyn rhwng cloddiau a choed. Rhaid bod hen gyfaill y beic, neu ninnau, wedi camddeall. Nid oedd argoel am feddau yn unman. Ni welem ond gwrychoedd a chaeau a glan afon. Ond yn sydyn dyma fwlch yn y clawdd, a chlwyd fechan rydlyd yn colli'r dydd yn erbyn y drain. Chwarter canllath arall ac roedd yno borth eang a lle i barcio car.

Wrth agor un o'r clwydi trymion, fe gododd Llwyd ei destun—

*Drain ac ysgall mall a'i medd, mieri mewn twll marwedd!*
*Dyma beth yw dryswch.*

Aethom ar hyd y llwybr gwyrdd a rannai'r ardd yn ddwy. Roedd yr olygfa'n un ddoniol mae'n siŵr—dau Gymro canoloed yn uchel lefaru'r Prydydd Hir a Chrwys, ac yn chwilio'n sobor, fel dwy wraig yn hel mwyar duon, am enw rhwng y drain, yn gwneud archwiliad systematig fanwl o holl feddau mynwent aflêr mewn pentref dieithr a distadl yn Iwerddon. A'r naill, o ganol ei anialwch, yn gweiddi ar y llall—

*Welaist ti rywbeth?*

a'r ateb yn codi o dyfiant y danadl—

*Naddo, dim byd hyd yn hyn.*

Cerrig, meini, ac enwau rhwng y dail. Maent yn fwy diddorol ambell waith na llyfrau, hyd yn oed i ddieithryn na all weld mewn enw carreg ond cysgod y corff sy'n ddiflanedig rhwng barrau'r ysgerbwd. Nid yr enwau sy'n peri gweld—gweld ffurf annelwig y croen am y llifo gwaed—yn gymaint â chyfosodiad dau enw neu dri, pâr, neu fwy, o enwau y gellir dyfalu natur y berthynas rhyngddynt, a gosod stori yn y bwlch—y bwlch sy'n fawr neu'n fach—rhwng dyddiadau mynd diddychwel y naill a marw disyfyd y llall. Yn gaeth rhwng y terfynau amser a nodir yn naddiadau'r maen mae hanes hen gur,
hen gur y cyrff
rhwng haenau'r pryfed yn y pridd,
dolur y gwacter sy'n oer yn y llaw,
     y gwacter sy'n cleisio'r bwlch yn y clyw.
'Myned sydd raid i minnau'—
        i orwedd yng ngwreiddyn y gwair
        a bod yn llwch o dan y llwyni.
        'Rhoi Awdwr Bywyd i farwolaeth
        A chladdu'r Atgyfodiad mawr!'—y bedd
        gwag dan glawr y tir,
        ogof y diddim du ym mynwes y graig.

Ond myned sydd raid i minnau, a marw fel diferyn y glaw drwy fysedd y plant—i'm 'golchi yn y glaw'

i'm 'sychu gan y gwynt'—ysgerbwd y bardd ar golfen.
Yn y pridd du, dan bwysau marw abwydyn byw—
ac ni bydd yno haul i'm gwynnu.
Melynu'n hytrach wna'r asgwrn dan bapur y cnawd.
A'r plentyn hwnnw a gladdwyd yn fyw, yn fyw yn nyfnder daear yr emynau mynwent; creithiau'r ewinedd gwaed ar nenfwd y pren, a gwallgofrwydd y deffro i nos y gell yn y llaid oer, yr ail-farw mewn amdo gwyn.
Daeth Emrys ap Iwan yn ôl ataf—'Claddwyd fy mrawd yn fyw, yn fyw, yn fyw yn y bedd'. A daliodd i gredu hynny . . .


Doedd hi ddim yn hawdd darllen pob bedd. Gorchuddiwyd y rhan fwyaf o rigymau'r angau gan wair a chwyn. Yna, fel ergyd annisgwyl, gwelais, wedi'i gerfio yn y cwrb wrth droed un o'r beddau, yr enw—Rawlins.

*Llwyd! Dere 'ma!*

Cododd Llwyd ei ben ar unwaith o gysgod y gwrych yng nghornel bellaf y fynwent, a brasgamu ataf drwy'r afradlonedd gwyrdd.

*Edrych ar hwn!*

Bedd sgwâr ydoedd, a charreg dywyll isel yn un pen. Ar y garreg honno, mewn llythrennau duon digysur, roedd un enw—Thomas Rawlins, Melleray. Ac, oddi tano, dyddiad ei farw—Rhagfyr 13eg, 1956.

*A'i i 'nôl y camera o'r car.*

Wrth fynd at borth y fynwent ac i'r car, teimlwn yr un gwres rhyfedd a deimlaswn ar sgwâr Dungarvan, gwres rhyw gyffro nerfus yng ngwaelod y stumog, rhyw wasgu cynnes ar goluddyn. Ai fy nghyfenw i oedd enw'r marw ar y maen? A oedd ganddo wraig, a oedd ganddo blant? Nid oedd ond yr un enw ar y garreg, ac roedd y dyddiad yn ddiweddar. Rhaid bod rhywun ar ôl—cefnder, cyfnither, modryb?

*Cer' di i sefyll y tu ôl i'r garreg ar y pen, ac mi dynna'i'r llun.*
*'Oes digon o olau?*

*Mae'i braidd yn dywyll, ond mi ddylai fod yn olreit.*

Rhoddais fy llaw ar y garreg galed, a theimlo'i hoerni fel darn solet o iâ.

Rhwng dau olau tynnodd Llwyd ddau lun ohonof, ac un arall o'r bedd ei hun—a hanner fy enw ar y maen.

Eisteddwn yn y car y tu allan i westy tenau a diymhongar wedi ei wasgu rhwng siop ddillad a swyddfa ac yn dwyn yr enw 'The Toby Jug'. Roedd Llwyd wedi mynd i fesur hyd a lled y llety. Mewn tafarn anfoethus ei wedd allanol nid oedd am gysgu mewn gwely heb yn gyntaf ei weld.

Daeth allan fel un wedi taro bargen dda
*Reit 'te!*
Estynnodd ei fraich drwy ffenestr y gyrrwr a thynnu'r allweddi o'u lle ar golofn yr olwyn lywio.
*Gwesty'n iawn?*
*Dwy'i ddim yn hoffi'r blydi enw, ond mae e'n edrych yn ddigon da. O leia does dim ôl blac-pads ar y lle!*

Aethom â bag yr un o'r bŵt, mynd drwy ddrws cul a chyfyng, ac i fyny'r grisiau ym mhen pellaf y bar.

Doedd yr ystafell ddim yn oludog ysblennydd—hynny yw, yn ôl safonau Geraint Lloyd—ond roedd yn lân a chysurus, a'r ddau wely sengl yn ddigon cymen o dan eu cwrlidau pinc.

Rhoddais fy mag ar gadair wellt a thynnu'r offer ymolchi ohono. Byddai'n dda cael gwared o lwch y daith o Rosslare.

Dyw Llwyd ddim yn gredwr mewn dadbacio trefnus. Wedi lluchio'i gês treuliedig i gornel, aeth i orwedd ar un o'r gwelyau.

*Gwely mis mêl!* meddai, gan wasgu gwich neu ddwy o'r matras dan ei gorff.

Rhedai'r dŵr yn gynnes o big y tap i wynder llyfn y basin.
*Beth wyddost ti am fis mêl 'te?*
*Gwranda Rawlins, mae stori'r misoedd mêl ges i yn f'amser yn ddigon swmpus—mewn mwy nag un ystyr—i lanw'r Byw-graffiadur ddwywaith, ac yn ddigon cynhyrfus i losgi'r cloriau'n ulw!*

Y ddwy law fu'n tynnu'r dail oddi ar wyneb y beddau, fel troi gwallt o lygaid plentyn—i mewn i'r dŵr twym â nhw, i wasgu'n braf ar waelod y badell wen a gwrido yn y gwres.

*'Chlywais i m'onot ti'n sôn am un ohonynt erioed.*

*Gad dy gelwydd! Beth am honno yn Fiji? Glywaist ti am honno.*

*Yr un ddu 'na. Honno â'r llygaid tro!*

Edrychai'n bell i gyfeiriad y nenfwd, fel un yn gweld yng ngwacter syfrdanol y sêr yr atebion i'r cwestiynau mwyaf oesol ac annirnad.

*Yffarn! 'Na beth oedd menyw! Chwe throedfedd a deuddeg stôn!*

*A llygaid tro!*

*Doeddwn i'n poeni dim am ei llygaid hi. Duw! Petaet ti Rawlins wedi cwrdd â honna fydde dim nerth ar ôl 'da ti i orffen limeric, myn diawl i, heb sôn am nofel!*

*Bydd yn rhaid i ti adrodd yr hanes i mi eto—yn fanwl, fanwl. Byddai sôn am ferch felly yn siŵr o ychwanegu at apêl y llyfr.*

*A chwyddo'r gwerthiant ym Methel!*

Roedd y sebon melyn yn bersawr i gyd. Ac roedd y dŵr yn foddion i'r wyneb. Teimlwn fel un o'r merched afreal hynny sy'n hysbysebu sebon caredicaf y toiledau oll, y sebon sydd a'i hufen yn anghredadwy feddal ar groen meddalach y gruddiau.

*Wyt ti'n gwybod beth ddylwn i wneud, a beth garwn i wneud hefyd? Ysgrifennu nofel nad oes ynddi unrhyw awgrym o gnawd o gwbl.*

*Amhosibl!*—a chwythu mwg ei sigarèt yn golofn niwl at y golau uwch ei ben. *Os oes genn'ti bobol mi fydd genn'ti gnawd. Y cnawd yw hanfod pob cyfathrach.*

*Ti sy'n dweud hynny . . . Ond efallai dy fod ti'n iawn hefyd.* Gwthio'r tywel cras i gilfachau'r clustiau, a dŵr y sebon yn sŵn yng nghornelau'r cŵyr. *Ond o sôn amdano o gwbl, sôn amdano'n gelfydd, yn grefftus. Sôn amdano â'r un math o ddwyster ag y byddai rhywun yn sôn am bethau'r ysbryd.*

*'Run fath ag Ifans y Ciwrad! Yr hen foi gwancus yn poeni Ann yn y fynwent, ac yn sibrwd yn ei chlust hi 'Mae'r cnawd yn santaidd Ann'. Roedd e'n deall ei bethau. Ac yn deall Ann i'r dim!*

*Paid ti â dweud dim byd yn erbyn Ann—breuddwyd 'y mywyd i! A beth bynnag, dyfynnu Rhiannon Davies Jones wyt ti, nid Ifans y Ciwrad.*

Drama—dyna'r peth. Cnawdoli Ann unwaith eto, a'i rhoi ar lwyfan. Ann a Williams, y ddau gyda'i gilydd. Pymtheg oed oedd Ann wrth gwrs pan fu farw Williams, ond does dim ots am hynny. Gellir gwneud pob math o bethau mewn drama. Rhoi'r ddau ar ynys, yr un ynys wrth reswm, a gadael i'r ddrama danio rhwng haul y naill a gwydr y llall. Gadael iddynt. Roedd genn'i wningen yng ngwaelod yr ardd 'slawer dydd, cwningen las mewn cwb bychan. Benthyca gwryw gan Jaci Jones, a'i roi yn y cwb. Rhoi'r ddau yn yr un cwb. A gadael iddynt. A'r ddrama'n tyfu'n hyrddiadau cyrff mewn bocs o bren yng ngwaelod yr ardd; y cnawd yn tabyrddu ar estyllen y gell garu. Dyna yw bywyd. Drama—dyna'r peth. Ann a Phantycelyn.

*Gormod o Ann sydd yn ein gwaed ni. Ac rwyt ti Rawlins a dy siort yn dal i ffugio ysgrifennu yng ngafael caethiwus y crafangau Methodistaidd. Pam ddiawl na sgrifenni di am bâr o lesbiaid Cymraeg, neu am ryw Bleidiwr blaenllaw sydd bob nos y tu ôl i ddrws clo'i ystafell yn cadwyno'i gariad ac yn ei fflangellu ar wely caled. Pam mae'n rhaid i chi stwffio'ch llyfrau â chapel a phregethwr a blodau hyfryd?*

*Y gwir yw nad wy'i ddim yn nabod cenedlaetholwr sy'n chwipio'r greddfau'n goch i gorff ei gariad. Dwy'i ddim yn nabod dwy lesbiad chwaith.*

Doedd hynny ddim yn hollol wir, ond nid oeddwn am ildio'r ddadl i'm gwrthwynebydd.

*Dy fusnes di yw eu creu nhw nid eu nabod nhw.*

*Paid â siarad dwli! Awdl am Batagonia—bardd o Batagonia. Dyna'r unig ffordd. 'Elli di ddim sgrifennu am bethau na wyddost ti ddim amdanyn nhw—yn uniongyrchol felly. 'Elli di ddim sgrifennu o'r tu fa's. Mae e'r un fath â cheisio disgrifio rhywbeth fel . . . y Parthenon yng ngwynder haul y prynhawn, a thithau heb ei weld ond mewn llun rhwng cloriau llyfr. Mae'n rhaid i ti deimlo'r gwres ar dy dalcen di, y pileri dan dy law.*

Gwyddwn nad oeddwn yn credu dadl mor arwynebol o ddiniwed, ond roedd dweud hynny'n fodd i gynnal y sgwrs a chadw Llwyd ar wastad ei gefn ar y cwrlid pinc tra 'mod i'n cael cyfle i frwsio fy nannedd.

*Rwyt ti'n siarad trwy dy het nawr! A rwyt ti'n gwybod hynny hefyd.*

Lan a lawr, lan a lawr, i gadw'r anadl yn felys ac yn bur. Peth cas yw chwythu anadliadau sur i drwyn rhywun agos, cas fel corff sy'n pelydru sawr myglyd ei chwys drwy haenau hen ddillad.

Lan a lawr, brwsio, sgrwbio, sgwrio. Golch fi'n lân fel eira gwyn. Fel Naaman o faddon iachusol Iorddonen, fel yr Ethiop du a'i ddwylo'n wyn o ddŵr y sebon. Y glân ei ddwylo a'r pur ei galon, yr hwn ni ddyrchafodd ei feddwl at wagedd, ac ni thyngodd i dwyllo. Pwy all hwnnw fod tybed? Y camera-bregethwr a'm daliodd yn tŷ-bach? Y diacon di-ŵefr a welodd fy nhad yn borcyn yng ngwely'r hwren? 'Twyllwyr ydym oll heb eithrio'r un . . .'

Lan a lawr, i grafu marc y baw a'r bwyd soeglyd sy'n pydru yn y tyllau briw.

    'Twyllwr wyf innau. Pwy sydd nad yw,
      Wrth hel ei damaid a rhygnu byw.'
Twyllwr oedd 'nhad ond fe'i daliwyd.

Lan a lawr, lan a lawr, i olchi'r geg a chlymu'r ffresni ar y tafod coch.

    'Daeth Haf Bach Mihangel trwy weddill yr ŷd,
      Yn llond ei groen ac yn gelwydd i gyd.'
Dwlu ar hwnna, dwlu ar Parry bach—'A gwên dy ddannedd yn gelwydd gwyn . . . Lan a lawr, lan a lawr . . .

*Beth am Parry-Williams?*

Ond roedd Llwyd wedi syrthio i demtasiwn y gwely mis mêl. Fe'i gwelwn yn y drych, yn gorff syth ar wely pinc. Y sigarèt! Ond roedd hi'n saff mewn cragen o lestr ar gwpwrdd y gwelyau.

Rhoi'r brws ar yr astell wydr. Edrych i'r drych. Gwenu'n geg-agored. Cydio yn y brws gwallt. 'Beth ydwyt ti a minnau, frawd?' Dim byd ond anifail, yr epa noethlymun, yn brwsio'i wallt. Gwallt hir, hir, yn drwch ar goler ei grys. Hen ddelwedd ffasiynol y bardd. Gwenallt a'i 'sanau melyn. Gwallt byr oedd gan y rhan fwyaf ohonynt, nid gwallt hir. A 'sanau llwyd o wlân cartrefol. O yffarn! Beth yw'r ots! Nid dy olwg di sy'n bwysig. Dweud rhywbeth sy'n bwysig. A'i ddweud yn dda. Hunllef yr homorywiwr, neu lesbiaid Llwyd. Brest y robin goch. Deilen yn syrthio o goeden. Tatws yn tasgu yn y badell-ffrïo. Unrhyw beth, ond ei ddweud yn dda. Mor fodlon fyddwn pe gallwn ddweud rhywbeth mor wyrthiol â 'Mai' Eifion Wyn, neu un-rhyw beth gan Williams Parry. Rhoi geiriau at ei gilydd, a'r peth gorffenedig yn cael yr un effaith ar ddarllenydd ag y caiff y darn hwnnw gan Albinoni arnaf i—effaith y sŵn perffaith nad yw'n golygu dim, dim ond adlewyrch y teimlad dyfnaf. Mae geiriau'n wahanol, wrth gwrs, yn wahanol i nodau cerddorol am fod iddynt ystyr, ond yr un yw'r gwasgu emosiynol, boed y wyrth yn ymadrodd ynte'n alaw.

Na, nid oeddwn yn iawn pan ddywedais wrth Llwyd am y Parthenon. Roedd e wedi blino gormod i ddadlau mae'n debyg. 'Ni ellwch ysgrifennu am ddim ond yr hyn a brofwyd gennych'—sawl gwaith y clywais i hynny gan golier mewn dos-barth nos, gan fyfyriwr coleg? Honiad hollol anaeddfed. Petai hynny'n wir, byddai nofel hanesyddol yn amhosibl heb gymorth peiriant-amser Wells. Eu creu nhw, nid eu hadnabod nhw—dyna ddywedodd Llwyd. Ond mae'n rhaid eu had-nabod nhw i ryw raddau; adnabod y patrwm, adnabod y mowld. A gellir eu hadnabod heb fod yn un ohonynt; gellir gwybod heb fod yno. Gellir sôn am erwau'r iâ heb rewi, am fflam yr haul heb losgi'n ddim. Darllen hanes ac astudio map—gall hynny fod yn ddigon i'r sawl sy'n fyw gan ddychymyg.

Mae'n siŵr genn'i mai dychmygu mae Llwyd hanner yr amser. Hynny yw, ynglŷn â phethau fel y misoedd mêl godinebus hynny yr oedd e'n sôn amdanynt. Y ferch ddu honno yn Fiji, honno â'r llygaid tro—ffantasi wag fentra'i, creadigaeth y chwennych dirgel. Fel breuddwydion lliwgar Cliff Penparc. Mae gan hwnnw ryw obsesiwn am ferched duon, ac mae'r straeon sydd ganddo am anturiaethau ei gnawd yn ddigon i ddiwallu angen hanner dwsin o nofelwyr sy'n chwilio am ddeunydd y tu allan iddynt eu hunain.

. . . *Bois bach, 'dych chi'n gwbod dim byd amdeni. 'Na lle'r o'wn i—yn pwyso yn erbyn y postyn ac yn yfed poteled o win coch, ac yn cownto sawl un o'dd wedi mynd miwn trw'r drws—mynd mor blydi sidêt, a phob un â menyw ar 'i fraich. Ro'wn i'n gwbod yn nêt beth o'dd yn mynd mla'n, ond do'wn i ddim yn mynd i ga'l 'y nala fel'ny. Hongad dy got tu ôl i'r drws, miwn i'r gwely miwn clipad, a tra bo'ti wrthi manny, yn 'wys ac yn stecs i gyd, ma' rhyw blydi Ffrancwr bach yn twcyd dy arian di, rhyw Sioni Winwns o foi bach miwn sgitshe twcyd fale. Ond dyw Cliff Penparc ddim yn mynd i ga'l 'i ddala fel'ny. Dim ffiar! A 'na lle'r o'wn i manny, yn cownto, ac yn meddwl — Damo bois, byddwch yn garcus; mynd i ga'l ych plufio ych chi, bob jac wyn ohenoch chi. Cretwch chi ddim bois, ond cyn wired â 'mod i'n ishte man'yn, dyma slabyn o gar yn tynnu lan o 'mla'n i—Ferrari myn yffarn i! A menyw wrth y wîl—blaces . . . miwn 'ot-pants melyn. Bois, os nag ych chi wedi gweld blaces ddu miwn 'ot-pants melyn 'dych chi ddim wedi byw. A dyma'i'n pwyso ma's trw'r ffenest, ac yn gweud, mor jocôs â 'mys i, yn Sysneg wrth gwrs, 'Short time, monsieur, in the car?' O diawl bois, 'sech chi wedi clwed 'i llaish 'i; chi'n gwbod, un o'r llishe dwfwn 'na, fel baswr o fenyw, yn gwmws fel 'se'i cherrig 'i wedi cwmpo myn yffarn i! 'Allwn i ddim p'ido chwel' bois. O'dd 'i'n saff miwn car siŵr o fod—dim bachyn i 'ongad 'y nghot, hyd yn o'd miwn Ferrari, dim danjer i neb dwcyd 'yn arian i. A mi fentres i. Yffarn bois, 'na beth o'ddowtin! 'Pays de Galles? Oui?' medde'i, a pwyntio at y geninen o'dd' da fi yn 'y nghot. Ceninen fach lipa o'dd 'i 'ed ar ôl gweld Cymru'n colli. Ond yffarn! 'Do'wn i ddim yn llipa!' Sech chi'n gweld y coese du 'na'n symud pan o'dd 'i'n dybl-diclytsho. Wel, ta p'un i, dyma'i'n stopo'r car miwn hewl fach dwyll. Wel 'te, Cliff bach, gad 'i fynd. Dim 'ware. Os gwedws bois y cownsil—'job an' finish' a dim nonsens. Y peth cynta 'na'th 'i o'dd . . .*

Storïau felly oedd storïau Cliff Penparc, storïau manwl am

gyrff byw a greddfau'r cnawd anniwall. A phawb yn gwybod ei fod mor ddiwair heddiw yn drigain oed ag ydoedd y dydd y'i bedyddiwyd yng nghapel Bethel. Mae e'n gallu disgrifio'r Parthenon i'r dim; 'welodd e mohono erioed.

*Llwyd!*

*Hy! . . . Gwplest ti wrth y basin 'molchi 'na?*

*Do. Beth dd'wedodd y tafarnwr am swper?*

*Naw o'r gloch. Beth yw hi nawr?*

*Ugain munud i. Rwy'n credu a'i i ffonio Gwen.*

*Ie, reit. Mi newidia'i 'nghrys, ac mi wela'i ti yn y bar wedyn.*


Mae'n gas gennyf ffonio. Teclyn anhoffus yw'r teleffôn sy'n dwyn lleisiau dieithr drwy wifrau'r gwenoliaid a thrwy waelod y dŵr. Does fawr o wahaniaeth i mi rhwng canu hwn a'r telegram bygythiol yn llaw'r postlanc; mae'r naill a'r llall yn cynnig addewidion na ellir rhagweld eu cynnwys a phosibilrwydd sefyllfaoedd na fyddai neb yn eu dewis o'i wirfodd. Fe gân y gloch. Pwy all fod yno? Rheolwr y banc i ddweud fy mod yn y coch? Golygydd cylchgrawn i ofyn am adolygiad anorffenedig? Arolygwr Treth Incwm i drefnu cyfweliad? Mae'r posibiliadau erchyll yn lleng. Mae'n hen bryd i'r athrylith dechnolegol ddyfeisio ffôn sy'n dangos llun wrth ganu—yr un fath â'r ffôn-tegan hwnnw a gefais ryw Nadolig pell yn ôl—llun y sawl sy'n galw, ynghyd â'i enw a natur ei swydd. Fe roddai hynny ddewis i ddyn, dewis ateb neu beidio ag ateb, a lleihau'r posibilrwydd o gam gwag. Fe gân y gloch. Pwy all fod yno? Edrych ar y llun, darllen yr enw, nodi'r swydd. Rheolwr y banc. Gad e i ganu!

Peth gwahanol yw deialu o wirfodd. Bydd dyn yn cael dewis ei wifren bryd hynny, a dewis y llais a ddaw drwyddi. Fe all ochel yr annymunol, fel y gwna Llwyd yn ei gwsg llygadagored. Dawn werthfawr yw honno sy'n galluogi rhywun i osgoi'r diflas a'r creulon, osgoi'r amgylchiadau sy'n esgor ar anaf a phoen a chraith.

. . . Ro'wn i yn y parti cydadrodd, a chefais fynd ar fws yr ysgol i'r gogledd. 'Steddfod yr Urdd. Hwyl a sbri. Chwerthin. Crys gwyn, tei goch a gwyrdd, trowsus byr llwyd, a 'sgidiau duon. Ro'wn i'n dair ar ddeg ac yn ddyn i gyd. Cyrraedd y gogledd pell. Ymrannu i'r lletyau. Aros dros nos ar aelwyd ddieithr. Gruff, mab ifancaf Twm Davies, a minnau yn yr un tŷ. Eistedd wrth y ford i swper. Bara menyn a chaws a the poeth.

*'Oes gynnoch chi frawd neu chwaer, Gruff?*
*Dou frawd, dim chwa'r.*
Y te'n boeth iawn ac yn llosgi fy ngwefus ar ymyl y cwpan.
*Be' 'dy gwaith 'ch tad?*
*Gw'itho 'da'r cownsil.*
Stwffio'r bara menyn i 'ngheg.
*Be' amdanoch chi John?*
Y blydi caws yffarn 'ma—yn briwsioni dros y dam lle!
*Be' 'dy gwaith 'ch tad chitha?*
Gruddiau mor boeth â'r te.
*Dwy'i ddim yn siŵr; gw'itho mewn offis rwy'n credu.*
Plygu i godi'r gyllell a syrthiasai rhwng fy nhraed.
*Mae tad John yn gw'itho yn Llunden.*
*O . . . dwy'i'n dallt . . .*
Iesu Grist! Rwy'n ei gasáu fe! Fe a'i blydi hwren. Yn gwely gyda hwch. Tynnu ei ddillad a gorwedd ar ben menyw borcyn. A honno—hwren y cwrdd—sy 'dag e nawr yn Llunden. A beth amdana'i a mam? Mam mewn gwely mawr ar ei phen ei hun, gwely mawr oer. Dwyt ti ddim yn caru mam. Dwyt ti ddim yn 'y ngharu i. Rwyt ti'n caru hwren! Bastard! Pam na elli di farw? Pam na elli di orwedd yn borcyn yn y blydi bedd! Mae'n haws dweud 'Mae e wedi marw' na dweud 'Mae e'n byw gyda hwch'.
*Gym'wch chi ragor o gaws John?*
*Diolch.*
Mi ddysgais gydag amser i osgoi'r amgylchiadau sy'n rhoi cyfle i anaf. Peidio â mynd i 'steddfod yr Urdd, peidio â mynd i'r gwersyll, peidio â gwneud cyfeillion newydd. Mae'n haws byw gyda'r diawliaid busnesgar sy'n gwybod y cyfan yn barod. Anodd i blentyn yw egluro i ddieithryn ffolineb blys ei dad.

Mae dieithryn yn fygythiad . . .

*Hylo . . . Gwen? Ti sy' 'na? Shwd wyt ti? : . . . Ydy'r bois yn iawn? Gwranda . . . Rwy'i yn Cappoquin . . .*

Roedd yr haul eisoes yn gynnes pan ddeuthum allan drwy ddrws *'The Toby Jug'* i'r stryd. Yr haul yn gynnes, yr awyr yn glir, a'r dyrnaid siopau yn fusnes i gyd. O leia, roedden nhw mor fasnachol brysur ag y gall siopau bychain fod mewn pentref gwledig.

Euthum i'r siop-bapurau gyferbyn â'r gwesty i brynu sigarèts.

*Gwyliau pysgota?* gofynnodd y siopwr rhadlon o'r tu ôl i'w gownter.

Roedd yr afon yn denu llawer o ymwelwyr. Cawswn wybod hynny'r noson gynt. Doedd 'no ddim lle gwell na Cappoquin am bysgota. Mewn gwirionedd, pysgotwyr oedd pob un o'n cydwesteion, pysgotwyr o Loegr.

*Nage . . . gwyliau bach cyffredin . . . ymlacio, a darllen, ac ysgrifennu. A chwilio achau!*

*Ble? Yma yn Cappoquin?*

Gallai'r Gwyddel hwn fod yn Gymro da heb fawr o ym-drech, y math o Gymro sy'n holi perfedd pawb.

*Ie, teulu 'nhad-cu.*

*O wir. Beth yw enw'r teulu, os ca'i fod mor hy â gofyn? Efallai 'mod i'n gwybod amdanyn nhw.*

Os oedd y siopwr yn un o'r bore-godwyr hynny sy'n dos-barthu papurau-newyddion o dŷ i dŷ, roedd yn eithaf posibl ei fod yn gwybod am bob enw yn y gymdogaeth.

*Rawlins—dyna oedd enw 'nhad-cu, Maurice Rawlins. Fe'i ganed e yma yn Cappoquin.*

*Rawlins . . .*

Gadawodd yr enw dreiddio'n araf drwy'r stac o bapurau a gariai'n feunyddiol at ddrysau'r pentref.

*. . . Rawlins . . . 'Alla'i ddim dweud 'mod i'n gwybod am un teulu o'r enw Rawlins yn Cappoquin. Ond fe allai fod allan yn y wlad, wrth gwrs . . . Beth oedd gwaith 'ch tad-cu?*

*Morwr . . . O leiaf, dyna oedd e pan ddaeth e i Gymru. Dwy'i ddim yn siŵr beth oedd ei waith e cyn hynny.*

*Dyw morwyr ddim yn gyffredin iawn yn y rhan yma o'r wlad. Dwy'i ddim yn meddwl 'mod i wedi clywed am neb o'r pentref 'ma aeth yn forwr erioed. Ffermio mae'r rhan fwyaf, ffermio a gweithio ar y stad.*

*Rwy'n mynd i weld yr offeiriad nawr. Mae ganddo fe ryw record o deuluoedd yr ardal, mae'n debyg.*

*O'n sicr. Os oes rhywun yn gwybod, y Tad Power yw hwnnw. Fe ŵyr e am bob teulu yn y plwyf.*

*Cystal i mi fynd felly. Diolch am y sigarèts.*

*Pleser . . . A phob hwyl gyda'r chwilota!*

*Diolch yn fawr.*

Doedd yr hyn a ddywedyd gan y siopwr ddim amgen na'r hyn a ddywedasai gŵr y gwesty wrthyf y noson gynt. Ar ôl swper a oedd yn ymylu ar afradlonedd—dwy stecen drwchus a photelaid dda o St. Emilion—bûm yn holi'r gwesteiwr am deulu'r Rawlins. Dywedais wrtho am y bedd yn y fynwent, a'r enw Thomas Rawlins, Melleray. Fe allai fod rhai yn Melleray, meddai, ond doedd e ddim yn adnabod neb yno. Roedd yn hollol sicr nad oedd un Rawlins yn Cappoquin ei hun. Ac yna fe awgrymodd y dylwn fynd i weld offeiriad y plwyf. Byddai ganddo ef well syniad na neb am deuluoedd, ac os na wyddai ef yn bersonol gallai fynd at gofrestri'r eglwys a chwilio'r rheiny.

Mynd i weld offeiriad Pabyddol. Roedd hynny'n brofiad newydd. Maen nhw'n wahanol i weinidogion anghydffurfiol rywsut. Nid yr un yw Father Brown ac Obediah Seimon. Dwy ddelwedd wahanol.

Cerdded i fyny'r dreif at gastell y pregethwr, at ddrws trwm y mans, a'r cerdyn casglu yn fy llaw. Roedd pwt o flac-led ym mhlyg y cerdyn, pensil i nodi enwau'r cymdogion hael a roddai ddwy geiniog at y gwaith o roi Crist a chrys gwyn i blant bach duon ym Madagasgar. Yn wobr am y begera cymwynasgar hwn cawn lyfr amryliw ei gloriau— *Y Morwr a'r Merthyr*, neu lyfr unlliw glas— *Caban F'ewythr Twm*. Ac roedd y casglu'n llafur caled i blentyn swil ac ofnus. Curo ar bren caled i gyfeiliant cyfarthiadau hen gŵn ysgyrnygus a lloerig. Cardota yn enw'r. Genhadaeth Dramor ar stepyn drws gwragedd cableddus y siop chips a Chlwb y Jiwibili. Nid oedd gan y pregethwr gi, ond roedd yn well genn'i wynebu'r anghenfil mwyaf ysglyfaethus yr olwg na dod wyneb yn wyneb â dyn y cwrdd. Rhoddai geiniog i bob un o'r casglyddion; felly hefyd y rhannai ei galennig. Cadw pawb yn hapus, pawb yn fodlon. Siaradai iaith na ddeallwn mohoni, rhyw iaith debyg i ddieithrwch yr emynau a genid gennym ar seddau pren y festri. Roedd e'n nabod Duw ei hunan; roedd e'n ffrind i Iesu Grist. Credwn y gallai, fel ei gyfaill, gerdded ar y môr. Fe'i dilynais am brynhawn cyfan ar drip yr Ysgol Sul ym Mhorth-cawl, ei ddilyn a'i wylied ar y traeth yng Ngalilea. Ond 'cherddodd e ddim ar y dŵr y pryn hawn hwnnw; dim ond eistedd ar y tywod â hances wen betryal ar ei gopa moel, a chwarae criced mewn dillad duon. Edrychai bob amser yn urddasol yn ei bulpud, ei wisg mor berffaith ddifrycheulyd â gwisg model mewn ffenestr siop. Ond nid oedd mor llonydd â delwau'r teiliwr. Roedd ei symudiadau yn gelfydd fwriadol ac ystyrlon, symudiadau y ganwyd eu harwyddocâd mewn drych yn ei ystafell-wely, symudiadau'r breichiau sy'n medru cofleidio pêl anferth y greadigaeth a'i thaflu'n grwn a phendramwnwgl i gyfeiriad y fflamau yn isel-leoedd yr ysu tragwyddol, y fflamau ar ganhwyllau gwynion ei fysedd. Proffwyd? Actor? Efengylwr? Perfformiwr? Pwy a ŵyr? Y llwyfan ar astell felfed y Llyfr mawr. Mygydau'r Hen Destament ar wyneb clai yr ugeinfed ganrif:

*Ffrwydrad y bom ar diroedd*
*Siapan, y metel yn tasgu'n sglodion*
*angheuol ar domen y miloedd morgrug*
*rhwng strydoedd Nagasaki, cwmwl y*
*caws llyffant ar wyneb yr haul*
*uwch heolydd Hiroshima—ymbarél,*
*medden nhw, i'n cysgodi rhag y*

perygl melyn, rhag bygwth y
barbariaid sy'n ymguddio y tu ôl
i ddail y ffin, y gelyn oddi
allan . . .

Ond beth am y gelyn mewnol?
Beth am y duw materòl, a'r difa
moesol? Y cancr sy'n bwyta'r ymysgaroedd,
y llygoden ffrengig y mae olion ei dannedd
gwenwynig yn batrwm hyll ar ymylon ein
bywyd papur, y llygoden sy'n swcro'i
hepil brwnt o 'dan loriau papur ein byd' . . .

Fe ddaeth rhyfel y gwledydd i ben. Nid
felly rhyfel y gwir a'r gau, brwydr y
goleuni a'r tywyllwch, ymgiprys oesol
Mażda ac Ahriman, Duw a'r Diafol. Ynom
mae maes y gad, ynom ac yn ein plith . . .

Ys dywedodd un o'ch poëtau chwi eich
hunain—'Y duwiau sy'n cerdded ein
byd yw ffortun a ffawd a hap, a ninnau
fel gwahaddod wedi ein dal yn eu trap . . .

. . . y godinebu anllad sy'n adroddiadau
manwl, manwl ar dudalennau'r papurau
Sul, y gorymdeithio diddiwedd yn llysoedd
yr ynadon, gorymdeithio'r Ysgariadau—
yr hyn a gysylltodd Duw na wahaned dyn—
ac yn llacrwydd y rhwymau traddodiadol,
rhwygir y plentyn o afael cyfanrwydd
y teulu cysurlawn, a'i daflu'n ddiangor
i siawns y dihafan fôr . . .

Nid oeddwn yn hoffi'r dyn gwelw hwn a bregethai i wyneb fy
mam o ynys bell ei bulpud. Gŵr y geiriau mawr—sŵn heb

sensitifrwydd, ceiliog yn clochdar cân y proffwyd. Ac roedd curo ar ei ddrws yn hunllef.

*Garech chi roi rhywbeth at waith y Genhadaeth—neu at gynnal y plentyn a daflwyd yn ddiangor i siawns y dihafan fôr? .*
*. . . Diolch, Mr. Ceiliog-yn-nillad-y-proffwyd.*

Cerdded y graean ar ddreif y mans Rhufeinig. Byddai'r offeiriad Pabyddol yn wahanol. Nid diniweityn craff a hirben Chesterton efallai, ond nid Obediah chwaith.

Roedd y tŷ ar godiad tir ym mhen pellaf prif stryd y pentref, clamp o dŷ coch yn llygadu'r plwyf.

Rhoddais fy mys i wasgu'r botwm pres, a chlywed tincial y clychau yn y cyntedd, clychau ysgafn fel y rheiny yn siop Mrs. Lewis Gwerthu Dim 'slawer dydd.

Agorwyd y drws gan ddyn tal main. Coler gron a sbectol.
*Bore da*—hyd yn oed mewn dau air roedd y brôg yn drwchus.

*Bore da. Tybed 'allech chi fy helpu?* Swnio fel rhywun a gollodd ei ffordd.

*Mi wna' i 'ngorau.*

*Rwy'n ceisio dod o hyd i ryw wybodaeth am deulu 'nhad-cu.*

Camodd yn ôl i'r cyntedd a'm gwahodd i mewn i'r tŷ. Fe'i dilynais i ystafell eang, ac ar orchymyn ei law eistedd mewn cadair esmwyth yng nghysgod planhigyn a dyfai'n dal o gasgen wrth y ffenestr. Daeth ataf a chynnig i mi sigarèt o becyn melyn *Gold Flake*, sigarèts na welswn mohonynt ers blynyddoedd. Cadw sigarèts fel cadw gwin efallai. Miloedd o becynnau melyn mewn seler.

*Dwy'i fy hun ddim yn ysmygwr, ond mi fydda'i'n cadw stoc ar gyfer ymwelwyr. Maen nhw'n help ambell waith.*

*. . . Fy Nhad, beth wna'i? 'Alla'i ddim*
*dal yn hwy; mae'r peth yn ormod i mi!*

*Cymer sigarèt!*

*. . . Os ca'i afael ar y crwt, rwy'n siŵr*
*o roi tro yn ei wddwg e! Mae arna'i*
*ofn fy natur fy hun.*

*Cymer sigarèt!*

91

*. . . Rwy'n peswch fel petawn i wedi*
*llyncu llond bocs o hoelion. Mi wn*
*ei fod yn sarnu f'ysgyfaint, ond*
*rwy'n gaeth, mor gaeth â'r sawl sy'n*
*byw ar gyffur. Dwy'i ddim yn gallu*
*ymryddhau o hualau·blas hyfryd y*
*mwg. Beth, beth, beth yw'r ateb?*

*Cymer sigarèt!*

*. . . maen nhw'n help ambell waith.*

Aeth i eistedd wrth ei ddesg, fel meddyg, ac edrych arnaf
drwy'i sbectol denau.

*Cymro ych chi?*

*Ie, ond Gwyddel oedd 'nhad-cu. Dyna pam mae genn'i enw*
*Gwyddelig—Rawlins.*

Eglurais iddo'r cysylltiad â Cappoquin, a dweud fy mod
wedi darganfod bedd yn y fynwent yn nodi marwolaeth un
Thomas Rawlins.

*Roeddwn i'n adnabod Thomas yn dda. Mae ei*
*fab—Michael—yn un o'm ffrindiau gorau. A'i fam hefyd, hen*
*wraig dda—gwraig Thomas. Maen nhw'n byw mewn bwthyn*
*bach yn Melleray—y fam a'r mab. Mae Michael yn gweithio ar*
*fferm yr abaty, yn gofalu am y miloedd ieir sydd ganddyn nhw*
*yno. Y peth gorau i chi, mi dybiwn, fyddai cael gair gyda*
*Michael a'i fam; y nhw yw'r unig rai y gwn i amdanynt. Dwy'i*
*ddim yn gwybod am neb arall . . .*

Edrychodd heibio i mi a thrwy'r ffenestr lydan i gyfeiriad yr
afon rhwng y caeau a'r coed.

*Roedd gan Thomas frawd, os dwy'n cofio'n iawn . . . John,*
*rwy'n meddwl, John Rawlins . . . ond fe aeth hwnnw i Ddulyn*
*flynyddoedd yn ôl. Mi allai Michael a'i fam eich goleuo chi eto*
*ynglŷn â hynny. Dwy'i ddim yn siŵr p'un ai ydy John wedi'i*
*gladdu ai peidio.*

Yn sydyn, gofynnodd

*Pabydd ych chi?*

*Nage . . . Annibynnwr . . . hynny yw, Protestant . . . Anghyd-*
*ffurfiwr.*

92

Credwn na allai Annibynnwr Cymraeg olygu dim iddo, a chystal felly gynnig iddo label mawr cyfun y miloedd colledig. Teimlwn yn euog, fel petai arnaf gywilydd fy mod yn perthyn i ryw sect ddistadl ac anhydrin, rhyw gapel split cecrus, dafad ddu anystywallt ar gwr y gorlan.

*Ond Pabydd oedd eich tad-cu wrth gwrs.*

Nid cwestiwn mohono, ond roedd yn amlwg ei fod yn disgwyl ateb. 'Wyddwn i mo'r ateb.

*A dweud y gwir, dwy'i ddim yn gwybod.*

Bu'n rhaid i mi egluro iddo pam na wyddwn yr ateb i gwestiwn mor syml, egluro'r bwlch yn y berthynas, ac absenoldeb y ffeithiau bach normal sy'n rhan o gynhysgaeth pob plentyn mewn teulu cyfan, egluro iddo fod genn'i berthnasau agos nas adwaenwn . . .


*Fe fyddai pren yn well na'r papur gwyn 'na.*

O'm rhan fy hun ni allwn weld unrhyw fantais o gael pren ar nenfwd y gegin. Byddai y tu hwnt o gostus. Ond dyw Gwen ddim yn poeni am fanion dibwys fel lliw'r ceiniogau yn y banc. Cegin berffaith yr olwg sy'n bwysig i ferch nid rhyw gyfrif ffigurau ar ddarn o bapur.

*Wel, paid â disgwyl i mi wneud y job; mae genn'i ormod o bethau ar y plât yn barod.*

*'Fyddai dim eisiau i ti wneud dim. Fe gawn ni saer coed i wneud y gwaith yn iawn.*

Nid yw crefftwyr erbyn hyn yn bobl hawdd dod o hyd iddynt, ond nid oedd hynny chwaith yn rhwystr i Gwen.

*Fe fues i'n siarad gyda Mrs. Morgan, Victoria Buildings y dydd o'r blaen. Maen nhw wedi gorfod newid y ffenestri ffrynt i gyd—yr hen bren wedi pwdru, a'r glaw yn llifo i mewn i'r stafelloedd. Fe gawson nhw saer bach da meddai hi, rhywun sy'n byw y tu ôl i'r eglwys—Jones, Tom Jones. Fe alle'ni ofyn iddo fe.*

Bu Gwen ar y ffôn, ac fe wnaed cytundeb â'r saer coed. Fe ddaeth ymhen ychydig ddyddiau i fesur y nenfwd.

Fe'i hadwaenwn o ran ei weld. Roeddwn wedi dweud 'Shw'

93

mae'i' wrtho droeon wrth ei basio ar y ffordd a gwneud sylw ystrydebol am y glaw neu'r haul. Dim byd mwy na hynny. 'Wyddwn i ddim mai Tom Jones oedd ei enw; 'wyddwn i ddim mai saer ydoedd. Nid oedd ond rhywun a gerddai o gwmpas yn yr un cylch o bentrefwyr a strydoedd ag y cerddwn i ynddo. Wyneb cyfarwydd ond dienw.

Wrth nodi'r mesuriadau yn ei lyfr bychan, dywedodd, heb edrych i fyny—

*Wyddost ti bod 'nhad wedi'i gladdu?*

Roedd yr ail berson unigol yn annisgwyl; roedd y cyfeiriad at ei dad yn hollol ddiystyr, oblegid 'wyddwn i ddim pwy oedd ei dad o holl bobl y byd.

Chwarae'n saff—

*Na, do'wn i ddim yn gwybod. Pryd fuodd e farw?*

*Mis Awst—wythnos y 'steddfod. Roeddet ti yn y gogledd mae'n debyg.*

*Oeddwn. Fe fuo'ni yno am bythefnos—yn y carafan.*

Edrychodd eto ar y nenfwd.

*Roedd e'n sôn llawer amdanat ti. Dweud dy fod ti wedi 'neud mor dda—sgrifennu llyfrau a phethau felly.*

Sgwrs annifyr oedd honno. Teimlwn fel actor yn ei gael ei hun ar lwyfan anghywir mewn drama yr oedd ei linellau yn ddieithr iddo.

Fe aeth y saer o'r diwedd, a mesuriadau nenfwd ein cegin yn ei boced.

Ffonio mam ar unwaith.

*Ydych chi'n nabod y saer 'na sy'n byw y tu ôl i'r eglwys—Tom Jones?*

*Mab Wil ti'n feddwl?*

*Pwy Wil?*

*Wil Bach y Twmpath—cefnder dy dad. Fuodd e farw fis Awst d'wetha . . .*


. . . egluro i'r offeiriad fod genn'i berthnasau na wyddwn i ddim amdanynt.

Ni allwn ddweud a oedd 'nhad-cu wedi parhau'n Babydd ai

peidio. Yn sicr, nid Annibynnwr Cymraeg mohono. Ond ni ddangosai'r Tad ei fod yn gofidio gormod am dynged enaid un morwr anhysbys yn llynges Victoria 'slawer dydd. Er hynny, dangosai ddigon o ddiddordeb yn fy ymchwil innau am berson coll, ac aethom ein dau i chwilio'r cofrestri.

Wrth gerdded o'r tŷ i gyfeiriad yr eglwys cofiwn am eglwys y Catholigion gartref yn y cwm. O'r tu allan yn unig y gwelais i honno erioed. Nid oedd gennyf syniad pa fath le oedd y tu mewn i'r muriau llwydion. Perthynai'r adeilad i gylch y bwganod a ddefnyddid gan fy mam-gu, o bryd i'w gilydd, i gael perswâd arnaf pan awn yn achlysurol i ryw gyflwr penstiff a di-ildio. Roedd gan mam-gu foddion at bob dolur, ac roedd y ffisig bob amser yn annymunol. Yr un fath â'r môr cynhyrfus hwnnw o ddŵr-sebon a chwistrellid yn ddidrugaredd drwy beipen rwber i'm pen-ôl rhwym, neu'r brws pigog a chaled fel rhathell a ddefnyddiai i sgwrio fy mhengliniau ar ôl diwrnod gogoneddus yn y baw. Deuai'r Pabyddion yn rhan o feddygaeth ysgeler mam-gu yn rhith y lleianod a drigai mewn cwfaint yn y coed nid nepell o eglwys y Catholigion.

*Fe wertha'i ti i'r nyns!* meddai mewn bygythiad ofnadwy pan awn i'n styfnig neu'n ddi-wa'rdd.

Daeth cnoc ar ddrws y cefn ryw brynhawn Sadwrn, ac euthum innau i ateb. Agorais y drws a chael braw mwy ysgytwol na dim a brofaswn cyn hynny—yn y drws safai dwy leian, dwy nyn i'm dwyn ymaith i'r celloedd duon yn y coed. 'Wyddwn i ddim mai casglu yr oeddent at 'achos da', a dihengais yn wyllt drwy'r gegin, i fyny'r grisiau, ac i mewn i ddiogelwch ansicr fy ngwely. Fe fu'n rhaid i mam ymarfer pob math o ystryw i'm darbwyllo nad oedd y ddwy ddewines a welswn yn y drws yn gofyn am ddim mwy na cheiniog neu ddwy at waith dyngarol. Yn ddiweddarach, gwelwn leianod yn gyson yn croesi'r ffordd fawr o goed y lleiandy i'w heglwys yn y cwm, ac fe wanychodd y dychryn yng nghynefindra'r gweld. Ond ni chefais achos erioed i'w dilyn a chael golwg ar eu haddoliad na gweld pa fath le oedd yno y tu draw i'r ffenestri cul.

95

Roedd yr eglwys yn Cappoquin yn agored a golau, a thrwy ei ffenestri hi deuai haul y bore i ail-dywunnu yng nglendid y pres mewn dolen a chanllaw ac addurn. Roedd y mireinder eglwysig yn newydd i mi ac yn hardd fel gwychder pebyll euraid y Dwyrain. Mor feddal y lliwiau pastel yng ngwrid ac ar fin y Forwyn a rhwng y craciau ym mhlastar y Crist crog. Wrth droedio'r patrwm yn y lloriau tirazzo roedd y darnau metel ar wadnau f'esgidiau yn gabledd yn nhawelwch y muriau hyn o hawddgarwch, ac mor rhyfygus afrosgo oeddwn wrth ddilyn yr offeiriad i gyfeiriad yr allor ysblennydd. Oedodd rhwng dwy eiliad i foesymgrymu ac ymgroesi cyn mynd i'r festri, os mai dyna'r enw ar yr ystafell gefn lle cedwir y cofrestri.

Tynnodd y Tad Power gwlwm o allweddi o'i boced, ei ysgwyd, a chodi un agoriad yn glir o blith y gweddill. Agorodd ddrws un o'r cypyrddau uchel a safai'n rhes o bren glân yn erbyn un o furiau'r ystafell a rhedeg bys yn gyflym dros enwau'r blynyddoedd ar wegil y cyfrolau trymion a lanwai'r silffoedd. Tynnodd allan un o gofrestri wythdegau'r ganrif ddiwethaf, a'i rhoi ar y ford hir a safai yng nghanol yr ystafell. Eisteddasom ein dau wrth y llyfr agored a dechrau chwilio'r tudalennau am enw plentyn a allai fod yn dad-cu marw i mi.

Roedd yn amlwg bod yr offeiriad yn gyfarwydd â'r gorchwyl o olrhain achau oblegid symudai ei fys a'i lygaid yn gyflym ond yn drwyadl drwy'r cofnodion, ac ni bu'n hir cyn dod o hyd i ddudalennau lle digwyddai'r enw Rawlins yn lled fynych. O'r diwedd, arhosodd ei fys gwyn a thenau ar gofnod, a dangosodd i mi'r enw—Mauritius Jas. Rawlins.

*Dyma fe, mae'n rhaid—Mauritius. Mi fydden nhw'n cofnodi'r enw yn ei ffurf Ladin ambell waith, pan fyddai'r offeiriad yn ddigon o Glasurydd! Mi wna'i gopi i chi o'r cofnod.*

Y sgamp a gerddai fel sigl y môr, y wag a roddai swllt ar gi ac ar geffyl, y llercyn diog a wisgai ei gap ar gam—*Os gweli di fe, cofia di groesi'r hewl!*—a dyma'i enw plentyn, bwndel o Wyddel bach diniwed yn siôl ei fam, ar dudalen mewn llyfr a gedwir dan glo ym mhentref Cappoquin. Teimlwn fod y weithred o ddatgloi'r cwpwrdd, agor y llyfr, a darllen yr enw wedi rhyddhau'r plentyn a gadael iddo dyfu'r eilwaith i fod yn berthynas agos a ddaeth ataf yn gyfan ac yn gynnes, yn ddyn byw at ei ŵyr, yn hen ŵr at blentyn ei fab ei hun. Safai'r ddau ohonom, wyneb yn wyneb, ar yr un palmant, ac nid oedd angen i neb groesi'r hewl.

Wedi gorffen copïo'r manylion rhoddodd yr offeiriad y darn papur i mi, a dweud

*Os byddwch chi'n teimlo rywbryd fod arnoch angen rhagor o wybodaeth cofiwch ysgrifennu ata'i. Mi wna'i 'ngorau i gael yr atebion i chi.*

Diolchais iddo am ei gymwynas, ac fe'm hebryngodd at ddrws yr eglwys.

*Cofiwch fynd i Mount Melleray* meddai *a gofyn am Michael. Mae pawb yn ei nabod. Mae e'n fachgen hoffus iawn.*

Diolchais iddo eto am ei gymorth parod a'i adael yn ei eglwys.

Wedi cyrraedd y ffordd arhosais i ddarllen y papur yn fy llaw, y papur a oedd yn rhan o'm cefndir fy hun—

Esgobaeth Waterford a Lismore: Plwyf Cappoquin.

Wedi archwilio Cofrestr Bedydd y plwyf uchod tystiaf ei bod yn dangos i Maurice Jas. Rawlins gael ei eni ar y 7fed dydd o Awst 1884 a'i fedyddio yn unol â Defodau'r Eglwys Gatholig ar y 10fed dydd o Awst 1884 yn Eglwys Cappoquin gan y Parchedig P. F. Walsh. Rhieni—Denis Rawlins, Brigid Burns. Noddwyr—Denis McNamara, Catherine McNamara.

Arwyddwyd:

John Power P.P. 11eg o Orffennaf, 1973

Eglwys y Santes Fair, Cappoquin.

Dyma rywbeth i ddangos i Llwyd. Fe a'i waed Albanaidd!

Mae ambell adeilad yn syfrdanol o afreal pan welir ef am y tro cyntaf, yn enwedig yr adeilad hwnnw a welir yn glir ymhell cyn ei gyrraedd. Adeiladau felly yw rhai o'r cestyll lledrithiol a godwyd yn uchel rhwng coed fforestydd Bafaria, Neuschwanstein, er enghraifft, yn ffantasi ysgafn o furiau hufen a thyrau pigfain, palas hudolus o siwgwr a thriog a theisen sinsir. Adeilad amhosibl o afreal yw'r mynachdy sy'n eistedd yn yr awyr uwchben pentref Kalabaka ar wastadedd afon Pinios yn Thessaly. Nid yw abaty Mynydd Melleray mor afresymol anghyraeddadwy â mynachlogydd Meteora, ond mae'n ddigon afreal. Ac mae'n afreal am ei fod mor real, am ei fod mor fawr a solet mewn lle mor unig ac anghysbell.

Roedd hi'n tynnu at hanner dydd pan welsom yr abaty glaslwyd o bell, yn sgwâr a thrwm rhwng y bronnydd a'r gelltydd distaw. Wrth fynd drwy'r porth llydan a pharcio'r car ar y cwrt eang o flaen y prif adeilad, ni allwn lai na theimlo mai tasg amhosibl bron fyddai cael gafael ar y gwas-ffowls mewn lle mor anferth. Sut yn y byd mawr oedd dod o hyd i Michael Rawlins yn y palas mynachaidd hwn? *Mae pawb yn nabod Michael*—dyna a ddywedodd yr offeiriad. Gyda'r wybodaeth sicr a chysurlon honno aethom drwy'r brif fynedfa a'n cael ein hunain mewn cyntedd urddasol a hardd.

Mae pob mynach, i mi, yn perthyn i fyd y Canol Oesoedd. Wrth feddwl amdanynt daw'r hen enwau yn ôl i'r meddwl, yr enwau a ddysgwyd wrth ddarllen Deanesly a Leitzmann—Cluny a Cîteaux, Francis a Dominic, y brodyr teithiol a bregethai yn blwmp o'r llawlyfrau hylaw, o'r *Dormi Secure,* o'r *Speculum Laicorum,* o'r *Liber Exemplorum,* y mynach a ryfeddai yn ei gell wrth gerdd Jacopone da Todi. Ac roedd eu drychiolaethau nhw yma ym Mynydd Melleray. Diflannodd y cysgodion oll pan ddaeth un o'r brodyr atom i holi'n busnes.

Eglurais iddo mai chwili o yr oeddem am ddyn o'r enw Michael Rawlins.

*O, am weld Michael ych chi. Mi ddangosa'i'r ffordd i chi.* Fe'n tywysodd yn ôl drwy'r drysau dwbl ac allan unwaith eto i'r awyr agored.

*Ewch ar hyd y llwybr yma i ben-draw'r adeilad. Os trowch chi i'r chwith, mi welwch chi adeiladau'r fferm yn syth o'ch blaen. Ewch i mewn drwy'r glwyd—mi ddylai fod ar agor—ac mi ddylech chi ddod o hyd i Michael yn yr adeilad pren cyntaf ar y dde. Os nad yw e yno, gofynnwch i rywun; mae pawb yn nabod Michael.*

Rhagor o ddiolch, a cherdded ymaith.

*Mae'r Michael 'ma* meddai Llwyd, *yn fachan poblogaidd iawn. Mae pawb yn nabod Michael!*

Tybed a allai'r gŵr dieithr hwn fod yn berthynas i mi? Yn ôl manylion noeth y beddfaen ym mynwent Cappoquin, ganed Thomas, tad y Michael hwn, yn y flwyddyn 1894. Fe olygai hynny ei fod ddeng mlynedd yn iau na'm tad-cu. Roedd hi'n bosibl eu bod yn ddau frawd.

*Paid â siarad yn wawdlyd am rywun a allai fod yn gefnder i mi! Dyw'r peth ddim yn amhosib'.*

*John bach, synnwn i fawr nad wyt ti'n gefnder iddo. Y trueni yw taw gwas ffarm yw e. Petai e'n berchen ar ryw stad enfawr ac yn boddi mewn arian mi fyddai'n werth perthyn iddo!*

Aethom drwy'r glwyd agored ac edrych am y sied ar y dde. Swyddfa o ryw fath ydoedd mewn gwirionedd, swyddfa bren fechan ac ynddi ddesg aflêr a hanner dwsin o gypyrddau ffeilio. Ond roedd hi'n wag; dim sôn am un Michael. Doedd y lle ddim yn brin o fynachod. Cerddent o'r naill sied i'r llall, rhai'n cario bwyd i'r ieir, eraill yn cludo bocsus gweigion, a'r mwyaf cytbwys a chyfrifol ohonynt yn cario basgedi llawn o wyau ffres i adeilad mwy cadarn na'r cabanau pren. Nid cabanau mohonynt chwaith; neuaddau yn hytrach, fel rhes o siediau awyrennau, yn un ffatri-wyau fawr.

*Edrych am Michael ych chi?*—un o'r mynachod cyfrifol, yn llwythog gan wyau brown—*Mae e ar 'i ffordd.*

Ar y gair dyma ddyn—dyn ac nid mynach felly—yn dod allan o'r sied gyferbyn â'r swyddfa, a chroesi'r ffordd atom. Dyn tua deugain oed, byr, boliog, yn gwisgo sbectol, ac yn llewys ei grys. Glynai ambell bluen ysgafn wrth ei drowsus tywyll. Yn araf y cerddai atom, a golwg ofidus ar ei wyneb crwn, fel un a oedd yn ansicr ynglŷn â neges dau ymwelydd dieithr.

*Michael Rawlins?* gofynnais, a gwneud fy ngorau glas i ofyn y cwestiwn mewn ffordd a awgrymai mai diniwed a chyfeillgar oedd ein pwrpas.

*Ie* meddai.

*John Rawlins yw f'enw i . . . a 'nghyfaill—Geraint Lloyd. Ry'n ni yma ar ein gwyliau . . . o Gymru . . . Ac mae genn'i ryw feddwl ein bod ni efallai yn perthyn i'n gilydd.*

Diflannodd yr awgrym o ofid o'i wyneb, a daeth yn fwy sicr ohono'i hun. Cawsom wahoddiad i'r swyddfa.

*Does genn'i ddim llawer o le, mae arnaf ofn, ac mae'i braidd yn anniben yma* meddai, gan symud pentwr o bapurau oddi ar y gadair a gedwid, mae'n debyg, ar gyfer ambell bwrcaswr wyau. Tynnodd ei gadair ei hun yn ôl o'r ddesg a'i chynnig i mi. Cymerodd Llwyd sedd yr ymwelydd, ac eisteddodd Michael Rawlins ar gornel ei ddesg. Edrychodd arnaf. Roedd yn amlwg ei fod yn disgwyl i mi ddweud rhagor wrtho.

*Os ca'i eglur o'n fyr pam dwy'i yma . . . Fe aned 'nhad-cu yn Cappoquin . . .*

Dywedais wrtho am ein hymweliad â'r fynwent, ac am yr enw ar fedd ei dad, ac am fy sgwrs â'r offeiriad. Dangosais iddo'r copi a gawswn o gofnod bedydd fy nhad-cu.

*Ro'wn i'n meddwl y gall'sai'ch tad fod yn frawd i 'nhad-cu.*

*Na, dwy'i ddim yn meddwl bod hynny'n bosibl. Un brawd oedd gan 'nhad—John, ac mae e'n dal yn fyw. Ond wrth gwrs, fe allai'ch tad-cu chi fod yn frawd i 'nhad-cu innau! Ond does genn'i ddim syniad. Dwy'i ddim wedi clywed neb o'r teulu yn sôn am Maurice Rawlins erioed. Ond efallai y byddai mam yn gwybod rhywbeth.*

Erbyn hyn, teimlwn-fod y dyn dieithr yma mor frwd ag

oeddwn i ynglŷn â'r berthynas bosibl. Nid oedd Llwyd ond gwrandawr amyneddgar.

*Ydych chi'n rhydd i ddod i gael cinio gyda mi?* gofynnodd. *Mi fyddai'n dda gan mam gael cwrdd â chi.*

Edrychais ar Llwyd. Ymatebodd drwy nodio'i ben fel prynwr dirgelaidd mewn arwerthiant.

*Iawn . . . os na bydd hynny'n drafferth i'ch mam.*

*Dim o gwbl. Mi fydd mam wrth ei bodd.*

Cydiodd yn yr hen siaced a hongiai ar fachyn y tu ôl i'r drws, ei rhoi amdano'n frysiog, a'n harwain allan o'i swyddfa bren, drwy glwyd y fferm, ac yn ôl at gwrt yr abaty.

Euthum i'r cefn, i ganol yr annibendod briwsionllyd, er mwyn i Michael eistedd yn y sedd flaen i gyfarwyddo'r gyrrwr.

*Mae gennych chi gar da* meddai ag edmygedd amlwg. Roedd Peugeot Llwyd wedi gwneud argraff dda arno. *Beth yw'ch gwaith chi?*

Ac yntau wedi bod mor dawel gyhyd, neidiodd Llwyd at y cyfle i ymuno yn y gyfathrach.

*Dysgu mewn coleg Hyfforddi Athrawon* meddai. *Mae John a minnau yn gweithio yn yr un adran, yn adran y Gymraeg.*

A rhyw gyfnewid gwybodaeth felly y buo'ni am y filltir a hanner rhwng Abaty Mynydd Melleray a chartref ein cyfaill newydd.

*Trowch i'r chwith ar waelod y rhiw 'ma. Mae'r ffordd dipyn yn gul, ond mae 'no ddigon o le i'r car.*

Arafodd Llwyd a throi'n ofalus i ben y lôn gyfyng a redai yn un llinell syth drwy goedwig drwchus a thywyll.

*R'ych chi'n byw mewn lle tawel iawn* meddwn.

*Ydy, mae'n dawel yma, ond ry'ni'n gyfarwydd ag e. Tir yr abaty yw hwn i gyd, a'r abaty sydd piau'r bwthyn hefyd.*

At y bwthyn hwnnw yn unig yr âi'r lôn; nid âi ymhellach. Yng nghanol y colfenni tal a'r llwyni gleision edrychai'r bwthyn bychan fel trigfan hen goediwr yn un o chwedlau'r brodyr Grimm. 'Fyddwn i ddim wedi synnu llawer petawn i wedi gweld Rumpelstiltskin yn dawnsio o flaen y drws agored, neu Hansel a Gretel yn cysgu'n binc ym m reichiau ei gilydd wrth foncyff un o'r coed caredig a thalgryf. Ond doedd y lle ddim mor rham-antus ddelfrydol â hynny, oblegid fe'n croesawyd yn frwd gan gyfarthiadau ffyrnig dau gi lloerig ynghlwm wrth gynllyfan a phostyn y glwyd. Pan welodd e'r rheiny doedd Llwyd ddim yn rhy siŵr ei fod yn barod i fentro allan o gastell ei gar heb arf-wisg a chleddyf. Roedd golwg fileinig ar y ddau, ac ych-wanegid at ffyrnigrwydd eu hymddangosiad gan y teclynnau metel a roddasid yn sownd am eu safnau glafoeriog i'w hatal rhag brathu'r sawl a allai fod yn ddigon annoeth i fynd yn rhy agos atynt.

'*Rhoswch funud* meddai Michael, *tra 'mod i'n mynd â'r ddau gyfaill annwyl yma o'ch ffordd chi.*

Aethpwyd â'r ddau anghenfil gwallgof i gwts o'r neilltu, a'u rhoi'n saff dan glo cadarn.

*Diolch i Dduw bod y diawliaid bach cecrus yna wedi mynd i gwato* ebe Llwyd wrth agor drws y gyrrwr a chamu allan.

Roeddwn i'n teimlo'n hapusach hefyd. Dwy'i, mwy nag yw 'nghyfaill, ddim yn garwr y cŵn anghariadus hynny sy'n dangos lliw eu cynddaredd yn ewyn gwyn ar weflau.

Agorodd Michael y glwyd, a galw *Mam! Mae genn'i ddau ymwelydd i ti.*

Aethom i mewn i'r bwthyn bychan unllawr, ac i fyd arall. Arweiniai'r drws ffrynt yn syth i mewn i'r ystafell-fyw, ystafell a oedd yn dywyll yn gynnar yn y prynhawn. Roedd hi felly am fod y nenfwd mor isel a'r ffenestr mor fach.

'*Steddwch* meddai Michael. *Mae'n rhaid fod mam yn y gegin neu allan yn yr ardd.* Ac aeth i edrych amdani.

*Dyma dy fwthyn di Llwyd!*

*Ond ble mae'r forwyn lygatddu?*

Eisteddem o flaen lle-tân hen-ffasiwn, du a gwag ac oer. Uwch ei ben roedd llun rhad a rhy liwgar o'r Fadonna a'i phlentyn, ac ar y wal gyferbyn â ni crogai Crist yn wyn ar bren. Ar wahân i'r arwyddluniau ysbrydol ac ofergoelus hynny roedd yr ystafell dlawd yn wag o addurn. Ar fflagiau caled a llwyd y llawr safai bwrdd wedi'i sgwrio'n wyn fel y carlwm, ac arno le wedi ei baratoi i un, fel petai'r teulu defosiynol yn disgwyl i Eliseus alw heibio i'w stafell fechan yn y mur.

Clywn Michael yn siarad gyda'i fam yn yr ystafell gefn, a daeth hen wraig i sefyll yn nrws y gegin. Cododd y ddau ohonom ar gyfer y cyflwyno cwrtais.

*Dyma John . . . John Rawlins* meddai Michael, *a dyma Mr. Lloyd.*

*Mae'n dda genn'i gwrdd â chi,* meddai'r fam, gan gynnig ei llaw i mi yn gyntaf, ac yna i Geraint. Roedd ganddi ddwylo anghyffredin o fawr, fel dwylo dyn sy'n gynefin â thrin caib a rhaw. Roedden nhw'n arw, nid gan henaint yn gymaint â llafur hir.

*Lle llwm sydd genn'i fel y gwelwch, ond mae i chi groeso cynnes.*

*Dyn'ni ddim am dorri ar eich traws chi . . .*

*Dim o gwbl . . . 'Steddwch chi . . . Mi gewch siarad gyda Michael tra 'mod i'n paratoi'r ford 'ma.*

Aeth yn ôl i'w chegin i chwilio am lestri a bwyd, ac fe drodd y mab gadair arall i gyfeiriad y lle-tân digysur. Nid yr un dyn oedd hwn â'r gŵr swil gofidus a ddaeth atom gyntaf ar fferm yr abaty. Roedd y bwlch o ddieithrwch wedi'i groesi bellach, a siaradai yn rhydd ac yn fywiog—am ei waith gyda'r ieir a'r mynachod, am ei obaith i fod, ryw ddiwrnod, yn fynach ei hun. Holai ynghylch ein gwaith ninnau, am Gymru, am fy nghefndir innau—a oeddwn yn briod, a oedd genn'i blant, beth oedd eu hoedran nhw, oedden nhw'n siarad Cymraeg?

Yr oedd Llwyd hefyd, pan gâi gyfle, yn siarad yn huawdl ddigon, ac yn dangos diddordeb arbennig ym mywyd yr abaty. A oedd ganddo tybed ryw syniad yn ei feddwl y gallai bywyd mynaich Mynydd Melleray fod yn bwnc ffilm deledu? Yr oedd eisoes wedi penderfynu, am wn i, pa gynhyrchydd fyddai'n ddigon hirben i brynu'r syniad.

Âi'r hen wraig yn ôl a blaen rhwng y ford a'r gegin, gan oedi nawr ac yn y man i wrando ar ein sgwrs. Gwisgai ffedog lydan ddu, un debyg i honno a welais mewn hen lun rywdro o deulu fy mam, ffedog a wisgid gan ei mam-gu Primrose Row, carthen drom o ffedog frethyn. Am ei thraed roedd ganddi bâr o 'sgidiau 'wellington' fel un o ferched cocos Llanrhidian neu Ben-clawdd. Fe'i gwelswn o'r blaen yn rhywle. Ond nid yn rhidyllu cregyn yn un o aberoedd Gŵyr. Hon oedd y fam oedrannus a welodd Synge yn cysgu'n philistaidd braf yn un o orielau'r Louvre, delw fyw y mamau oll. Hon oedd yr hen wraig a ddaeth i angladd y dramodydd a rhoi un tusw diymhongar o fioledau ar ei fedd. Hon oedd Maurya ar ynys-oedd Aran, hen wraig rychlwyd mewn ffedog ddu, yn derbyn cyrff ei meibion yn hallt o gôl y môr, yn wynlas wlyb ar ford noeth ei chegin, a llafargwynfan y merched galarus yn codi'n hir undonog o hiraeth y dŵr. Merched a'u pennau dan orchudd trist y peisiau coch, rhaff o Connemara yn hongian ar estyllen wen, a gwraig flinderog yn estyn gefel at dân myglyd i gym-hennu'r mawn. Camodd oddi ar lwyfan y ddrama, rhoi'r olaf o dri phlât ar y pren plaen, a dweud

*Dewch at y ford.*

Roedd symlrwydd y pryd bwyd yn amheuthun, a'r cig moch a'r wyau yn flasus faethlon. Safai mam Michael yn ein gwylied, yn barod i dorri rhagor o fara, yn barod i arllwys rhagor o de.

Roedd y ffaith i ni dynnu llun bedd ei gŵr yn rhoi boddhad mawr iddi.

*Da chi, 'machgen i* meddai, *danfonwch i mi gopi o'r llun.*

Rhedodd deigryn araf yn ddisglair dros ei grudd.

*Dyn da oedd fy ngŵr. Dd'wedodd Michael wrthych chi mai marw yn y fynwent wnaeth e? Roedd e wedi mynd yno i agor bedd Rory McMullen, Rory druan, ei gyfaill mynwesol e. Ar ôl iddo daflu'r rhofiad olaf allan fe ddaeth i fyny o'r bedd, eistedd ar garreg i gymryd hoe, a marw'n dawel fel plentyn yn mynd i gysgu. Felly y dylai dyn da farw, yn hawdd ac yn esmwyth.*

Trodd i sychu'r seren oddi ar ei grudd, a mynd i'r gegin i ferwi rhagor o ddŵr.

Felly y carwn innau farw—yn llonydd fel cysgu ym mynwes clawdd yr haul. Nid, fel fy nhad, yn hunllefus ddianadl ac yn ddychrynllyd ymwybodol o dywyllwch unig y nos.

. . . Pam na elli di farw! Pam na elli di orwedd yn borcyn yn y bedd! Mae'n haws dweud 'Mae e wedi marw' na dweud 'Mae e'n byw gyda hwch!

Fe ddaeth y dymuno anwar-hunanol hwnnw i ben yn sydyn.


Lluchiai'r nos y glaw yn erbyn sgrin-wynt y car a gwneud gyrru'n waith diflas. Roedd Gwen yn dal-i deimlo effaith cyfareddol y gyngerdd. Byddai'n rhaid i mi wrando ar y Mahler eto, dro ar ôl tro, a gadael i'w apêl dyfu'n raddol. Cawn ddigon o gyfle i wneud hynny ar nosweithiau hir a thywyll y gaeaf. Tân mawr, cadair foethus, a cherddorfa gyfan yn troi a throi yng nghornel yr ystafell.

Graddio, swydd mewn ysgol ramadeg, cael car, priodi merch ddeniadol a diwylliedig, prynu tŷ ar forgaits, penderfynu peidio â chael plant am o leiaf bum mlynedd er mwyn darllen, bwyta, yfed gwin, dysgu caru nid yn ffwndrus faglog ond yn gelfydd hardd, dysgu cweryla'n gyntefig, cyngherdda, mynd i'r theatr, a chysgu'n ddiniwed noethlymun. Roedd bywyd o'r diwedd yn felys.

Heno, fe gaem orwedd yn nathliad cynnes y cnawd, ac yn nhawelwch y glaw a'r gwynt fe ddeuai'r hen hen wefrau yn syfrdanol o newydd, yn ias o gyffro byw i agoriad y corff.

Estynnodd Gwen am y pecyn sigarèts ar silff fechan o'i blaen.

*Wyt ti am i fi danio sigarèt i ti?*

*Os gwnei di.*

Rhoddodd y sigarèt yn fy llaw, a thanio un arall iddi ei hun.

*Gwranda . . . mae genn'i rywbeth i 'weud . . .*

*Beth sy'n bod?*

*Dwy'i ddim yn siŵr taw fi ddylai 'weud wrthot ti . . . ond mae'n rhaid i rywun ddweud . . .*

*Beth sydd wedi digwydd?*

*Mae dy dad wedi marw.*

Pum gair, dim ond pump, a distawrwydd. Llafn o rwber du yn sychu'r glaw ar y gwydr, goleuadau moduron yn llachar ac yn hir yn nisgleirdeb y ffordd, hisian olwynion cyflym yng ngwasgfeydd y dŵr, a gwacter sydyn yng ngwaelod y cylla.

Ni ddywedais air. Beth oedd i'w ddweud? Aethom adref yn dawel drwy'r glaw oer.


. . . mor ddigonol foddhaus yw'r llyfnder meddal hwn wrth lithro allan, wrth lithro'n ysgafn ohoni ac oddi arni . . . yr ymlacio cyfan . . . yr anadliadau esmwyth o iach wedi'r gwewyr . . . gwewyr y fflamau gwyllt yn y gyrru gwallgof i ben-draw'r cynnwrf . . . tafodau'r haul yn difa'r lleuadau gwyn . . . tanchwa'r bywyn dan y croen porffor . . . yr ymollwng llwyr egnïol, a'r ymlonyddu hwn sydd mor ddigonol foddhaus.

Wedi marw? Beth yw hynny ond peidio â bod? Oni pheidiodd â bod flynyddoedd yn ôl. Y garddwr yng nghoed y môr, yr un a'm taflodd at yr haul yn chwerthin yr haf, a ddangosodd i mi nyth y dryw ym mwsogl llwybr y mynydd, a wnaeth i mi chwibanogl o frigyn syth a llyfn y sycamorwydden, y baswr golygus ar lofft y cwrdd, y gŵr trist a gododd ei law arnaf o waelod y rhiw pan eisteddwn ar biler y glwyd. Bu farw pob un ohonynt yn hollt gwenwynig corff hwren rhwng cegin mam-gu a'r siop chips. Ac fe'i claddwyd yn Llundain.

Mae dy dad wedi marw. Beth yw hynny i mi? Mae gennyf fy mywyd fy hun bellach. Mae gennyf wraig sy'n llonydd a lluniaidd yma dan fy llaw. Fe gawn blant o gynnwrf braf ein cydorwedd. Fe'u cludaf dan y sêr ac at yr haul yn ddianaf, dangos iddynt nyth aderyn yng nghlydwch y gwrych, torri brigyn a'i ganu yng nghoed yr allt, eu sychu'n dwym ar lan yr afon wrth bwll y gwaith . . .

Mae dy dad wedi marw. Beth yw hynny i mi? Oni ddymunais hynny? Beth yw gwaith eich tad John? A'm byd cyfan yn dadfeilio'n friwsion caws o gwmpas fy nhraed. Bastard! Rwy'n dy gasáu di! Pam na elli di farw! A heno rwyt ti'n farw, yn oer a gwag o dan guriadau'r glaw hwn. Fe'm lleddaist ar biler y glwyd, ac am hynny ni allaf wylo yn y glaw hwn sy'n tabyrddu ar ein ffenestri ni'n dau.

Fe ddaethost yn ôl o Lundain ymhen blynyddoedd—yn

ddyn annedwydd medden nhw. Fe syrffedaist ar gwmni'r hwch. Y tad afradlon wedi cael llond bol ar y cibau, a dychwelyd i'th gynefin, at lwybr y mynydd i chwilio am nyth, i goed John Bifan i chwilio am fab. Ond roedd plentyn y cap cotwm gwyn wedi diflannu'n ddyn ifanc.

Fe'th welwn di ambell waith ar strydoedd y pentref, yn ddyn unig dideulu wedi yfed diferyn yn ormod. Ond fe groeswn yr hewl. Cofia groesi'r hewl meddai mam-gu. Paid ti â chymryd sylw o beth mae dy fam-gu'n dweud. Cydia'n sownd yn 'y ngwallt i. Paid â gollwng dy afael . . .

Ond fe dynnaist ti fy nwylo'n rhydd, eu tynnu'n rhydd a'u rhoi yn gwlwm ar biler y glwyd. Ac aethost ymhell at fenyw dy flys. Dyw dyn sy'n gwthio'i gig caled i gorff menyw ddiarth ddim yn caru ei wraig a'i blentyn. A heno, rwyt ti'n farw, ac ni allaf wylo gyda'r glaw sy'n golchi'r nos uwch dy goffin.

Gad i mi gael cysgu gronyn . . .


Fe euthum i weld mam y bore wedyn. Roedd hi'n dawel ac yn drist.

*Fe fu farw'n hyll* meddai. *Fe gawson'nhw'i gorff e ar yr inclein y tu draw i'r afon. Roedd e wedi bod yn yfed—wedi yfed gormod o lawer medden nhw. Maen nhw'n barnu taw mogi wna'th e.*

Fe'i lladdwyd e gan ei gyfog ei hun. Bu farw'n feddw, yn unigrwydd y nos, a doedd ganddo neb yn y tywyllwch dianadl. Nid oedd ganddo na hwren, na gwraig, na mab. Dim ond blas ei gyfog yn ei geg, a distawrwydd unig y nos. Nid felly y dylai dyn farw. Fe ddylai pawb farw fel y bu Thomas Rawlins farw—yn hawdd ac yn esmwyth, fel plentyn yn mynd i gysgu.

Fe ddaeth yr hen wraig yn ôl o'r gegin, ac arllwys ail gwpanaid o de i'r tri dyn wrth ei bwrdd.

*'Chlywais i ddim Thomas yn sôn am neb o'r enw Maurice erioed, ond petaech chi'n cael cyfle i siarad gyda'i frawd John—John sy'n byw yn Nulyn—mi fyddai e'n gwybod. Mae e wedi ymddiddori erioed yn hanes y teulu.*

*Ydych chi'n bwriadu mynd i Ddulyn o gwbwl?* gofynnodd Michael.

*Mae gan Geraint gyfaill sy'n byw yn Nulyn, ond mae e'n digwydd bod i ffwrdd ar hyn o bryd.*

*Mae e'n dod 'nôl ddydd Sadwrn,* ebe Llwyd. *Ac mi garwn i fynd i Ddulyn am ddiwrnod neu ddau.*

*Mi sgrifenna' i'r cyfeiriad i chi.*

Sgrifennodd Michael enw John Rawlins a'i gyfeiriad ar ddarn o bapur a'i roi i mi.

*Mi fydd yn ddigon hawdd i chi ddod o hyd i Walkinstown* meddai, *ac mi fydd John yn falch iawn i gwrdd â rhywun o wlad arall, yn enwedig rhywun sy'n dwyn yr un enw ag ef.*

Fe orffennwyd y pryd bwyd, a chawsom fynd i weld gardd yr hen wraig. Mae'n rhaid ei bod yn treulio llawer o'i hamser yn yr ardd, oblegid nid oedd un chwynyn mewn rhych nac ar bâm, ac roedd y llysiau oll yn iach a graenus.

*Roedd Thomas yn hoff iawn o'r ardd* meddai, yn dyner.

Tynnais lun o'r bwthyn a'r ardd, ac wrth ein hebrwng at y glwyd a'r car, rhoddodd Maurya, mam y tristychau oesol a chyrff y meibion, ei llaw fawr yn ysgafn ar fy mraich, a dweud yn dawel

*Da chi, 'machgen i, danfonwch i mi gopi o'r llun—y llun arall, llun bedd fy ngŵr.*

*Fe wna'i hynny, yn siŵr i chi.*

*Bendith arnoch chi, 'machgen i.*

Ysgydwais law â Michael, a gwyddwn fy mod, rywsut, yn perthyn iddo.

*Gobeithio y cawn ni gwrdd eto* meddai.

Wrth agor drws y car, clywn y ddau gi ysgyrnygus yn ysgwyd muriau pren eu carchar yn ffyrnig.

Dechreuodd Llwyd beiriant y Peugeot, ac aethom yn araf ar hyd y lôn gul rhwng y coed tal.

Trois yn ôl i edrych cyn cyrraedd y briffordd, a gweld y ddau'n sefyll ym mhen pellaf y lôn—Michael a'r hen wraig, a'r mab a'i fraich am ysgwydd ei fam.

*Kilkenny.*
*Dydd Iau, Gorff. 13eg.*

Annwyl Gwen,

*Gan mai cerdyn yn unig gest ti ddechrau'r wythnos, mae'n well i mi ymdrechu'r tro yma i ysgrifennu llythyr. Mae'n rhaid ystyried myfyrwyr ymchwil y dyfodol; wnâi hi ddim mo'r tro i'r rheiny dreulio'u horiau gwerthfawr yn pori yn y cardiau post! Ac felly, dyma lythyr—i'w roi, ryw ddiwrnod, ym mocs y Llyfrgellydd Cenedlaethol!*

Byddaf yn meddwl am hynny ambell waith yn yr oriau hynny o wendid ffansïol—anfarwoldeb yr enw yn nhragwyddoldeb y llwch. Does fawr o gysur mewn anfarwoldeb felly. Pwy sydd fodlonach ei feddwl o wybod ei fod, pan nad oes ganddo gorff yn gynnes gan ei waed, yn parhau mewn print? Fe gaiff dyn foddhad, y gwres hunanol hwnnw o falchder, o weld siâp y sŵn a roddwyd iddo'n enw yn argraffedig ar bapur neu'n ffurf ar sgrîn deledu. Onid yw hynny wedi'r cyfan, petaem yn ddigon gonest, yn rhan o natur y cymhelliad, yn ddolen yn y gadwyn ysmudiad sy'n clymu dyn wrth ei gerdd, ei gynfas, ei golofn wythnosol? O enau'r Archdderwydd—ENW'r bardd buddugol yw . . . ac yngenir ym mhafiliwn y gân lythrennau'r dyn porffor gan bawb. Ychydig sy'n ynganu'r gerdd. Fe wnaeth ENW iddo'i hun, ac mae hynny'n dda—cyfystyr, os ydyw'n gall ac uchelgeisiol, â gwobrau, â nawdd uchelwr a Chyngor, cig eidion a gwin y clybiau cinio, siec euraid y Cymmrodorion, ac esgidiau awduron ar daith rhwng Dyfed a Chlwyd. Does fawr o bleser yn sicrwydd goroesi'r enw. Pwy erioed a gafodd wefr llawenydd wrth ystyried llythrennau ei enw yng ngwenithfaen y fynwent? Ac eto, onibai am barhad yr enw papur, ni buaswn i yn awr ar drywydd fy nhad-cu ac ar lwybr fy nhad. Cofnod y bedydd yng nghwpwrdd y plwyf. Atgyfodiad yr enw. Mae'r morwr yn fyw drachefn, yn rhydd fel Lasarus o garchar y llyfr. Ond ni adawodd yntau ond enw ar ei ôl—dim cerdd, na darlun, na dodrefnyn o grefft ei law. Dim ond enw a phlentyn.

*Shwd mae'r plant? Hiraethu am eu tad sbo, neu'n falch i gael gwared arno!*

A yw plant yn ffrwyth awen y cnawd? Fe bery'r tad marw yng ngherddediad byw ei blentyn, fel y bardd mud yn llais ei greadigaeth. Ond trist yw hynny hefyd. Fe deimlwyd ing y tristwch hwnnw gan grochenydd ifanc Quezaltenango pan roddodd frawddeg ei alar yn ysgythriad amrwd ar un o'i lestri pridd—'un triste recuerdo del jobencito D'. Druan o Mr. D! Ac yntau wedi marw fe barhai cynnyrch ei ddawn i ynganu ei enw yn yr yfory na allai fod i'r crochenydd ei hun. A minnau ym mywyd y ddau fab sydd gennyf? Fy nhad yn fy mywyd i? Y tad a'r mab—un ydynt.

*Rho gusan yr un iddyn nhw a dwed taw fi sydd wedi'u postio nhw yma yn Iwerddon. Bydd rhaid i mi ddod â rhywbeth mwy boddhaol na chusanau iddyn nhw pan ddown ni 'nôl yr wythnos nesaf!*

Mae'n well gan blentyn degan na chusan, am wn i. Ond mae cusan yn bwysicach. Cawodydd o anrhegion, rhaeadrau o roddion i gynnal llafur rhad Hong Kong a ffatrïoedd Myfanwy, teganau tinsel a phaent y nadoligau a'r pen-blwyddi chwerthinog—dyna i blentyn sy'n brawf o gariad rhiant. Mae cusan yn bwysicach ac yn ddrutach, mor ddrud â deg darn arian ar hugain, mor ddrud â chrogi Jwdas. Mae anrhegion mor hawdd.

*Mi edrycha'i am rywbeth iddyn nhw'r prynhawn 'ma. Doedd 'no ddim byd yn Cappoquin, ond mae digon o siopau yma yn Kilkenny.*

A dyna syrthio eto i'r rhwyd ar unwaith—prynu "rhywbeth" iddyn nhw. Nid prynu ddylwn i wneud, ond rhoi. Rhoi beth? Rhoi fy hunan iddynt. Beth yw ystyr hynny? Caru fy mhlant—beth yw hynny? Beth ddiawl yw cariad? Os ydw'i'n caru mam, os ydw'i'n caru Gwen, os ydw'i'n caru'r bechgyn, beth yw'r diffiniad? Ydy diffinio'n bosibl o gwbl? A oes modd i

mi roi enw ar y math o berthynas sydd rhyngof a mam?
Perthynas gorfforol anifeilaidd ydyw, y berthynas agosaf
bosibl. Beth oeddwn, ddeugain mlynedd yn ôl, ond un sberm o
filiynau yn tasgu o'm tad ac yn nofio'n gynffonnog, yn benbwl
meicrosgopig, i ffrwythloni ŵy fy mam. Mynd yn un â'r ŵy
byw, a drifftio drwy'r dyddiau gwyrthiol i nythu yn leinin y
groth. Ac yn yr hafod dywyll honno, yn glyd dan fantell y
corion, y dysgais wersi diarwybod fy nibyniaeth ar faeth
placenta'r ferch a'm cariai yn ei bru. Torrwyd cortyn y cyrff,
ond parhaodd y dibynnu ar fynwes a gofal arffed. Beth sydd a
wnelo hynny â chariad? Mae ambell blentyn yn casáu ei fam.
Ambell un yn ddig a ffiaidd wrthi. Oni roddodd y ferch oer
honno o Massachusetts, yr athrawes Ysgol Sul a hoffai arlunio
ar lestri porslen, fwyell ym mhenglog ei mam? Sut y gallaf
ddweud fy mod yn caru fy mam? Dim ond trwy wybod fy mod.

A charu Gwen, caru fy ngwraig. Beth yw ystyr hynny? A
ydw'i'n caru fy ngwraig? Bymtheng mlynedd ar ôl ei phriodi,
beth yw hanfod ein cyd-fyw? Ai cariad, ynte cynefindra,
beunyddioldeb ein harferion ar y cyd, beth? Y ferch ifanc
osgeiddig a bwysai ar foncyff llydan ffawydden yng nghoed
Alltychám, ei llygaid llwyd yn fy ngwahodd i gwlwm llaith y
cusanau agored, a'i chynnwrf yn galed ym mlagur ei bronnau.
Y ferch hardd a'm derbyniodd rhwng noethni morddwydydd,
yn gryf mewn ffrydlif gwaed i flaen gwyllt fy nghorff o ddyn.
Ym mhlethiad poeth ein gorwedd mewn gwair ac mewn gwely,
credwn fy mod yn gwybod y gair ac yn deall ei ystyr. Ond
roeddwn yn ifanc bryd hynny, yn ifanc ac ysblennydd naïf. Fe
gred y bwystfil glas, yn awr heulog ei flys, ei fod yn deall 'y
cyfan. Ond tybio yn unig a wna. Tybio a chredu na all fyw, yng
nghyflawnder ei bwyll, ond yn hollt cnawd y ferch a gâr yn y
llwyni gwyrdd. Yr hen a ŵyr nad yw hynny'n wir. Rwy'n caru
Gwen felly o hyd, yn noethlymun nefolaidd rhwng carthenni'r
nos. Ond nid dyna swm ein cariad. Mae'r cweryl yn rhan o'r
caru—nid y ddadl am ddyletswydd y golchi llestri dibwys, ond
gwallgofrwydd ffyrnig y casáu gwir, yr hyrddio llaid a'r
melltithio diffuant o falais calon. Mae hynny'n rhan o'r

patrwm bellach. Ond daliwn i gredu nad yw ein cariad yn llai
o'r herwydd. Mae hynny'n swnio mor blentynnaidd senti-
mental, fel stori ddagreuol y gobeithlu, ond fe all fod yn wir,
mor wir â honiad bardd Yr Haf—

    Mwynach cur mynych cariad na phedfai
    Heb lanw a thrai, a heb li na throad.

Ond ni wn yn iawn beth yw ystyr y gair. Fe wyddai Pantycelyn
efallai.

    Melysach nag yw'r diliau mêl
    Yw munud o'th fwynhau,
    Ac nid oes gennyf bleser sydd,
    Ond hynny, yn parhau.

Os ydy'r emyn hwnnw yn fynegiant o'r profiad dilys,
amherffaith yw fy nghariad i. Teimlaf ambell waith mai cariad
Islwyn oedd y perffeithiaf o bob cariad posibl, y cariad na
chafodd gyfle i gyd-fyw'n gyfarwydd a syrffedus. Yr awydd
rhwystredig i gusanu'r llaw na ellir ei chyrraedd. Af, o dro i dro,
i eistedd am ychydig funudau wrth fedd Ann Bowen i brofi
emosiwn y golled. A gwn, bryd hynny, wrth fedd y ferch yn
ymyl wal ddi-hid y capel gwag, fod yr hiraeth am yr anghyr-
aeddadwy a'r atgof di-gorff yn puro pob nwyd sydd ynof.
Hynny, neu hunan-dosturi anaeddfed—y math o faldod gwan
a barodd i Poe ddelfrydu'n freuddwydiol ei gof am Virginia
Clemm yn ei gerdd am Annabel Lee. Fe ellid dweud am Islwyn,
fel y dywedwyd am Poe, 'It is doubtful if Poe preferred a live
wife to a romantically dead one.' Ond diawl, sgrifennu llythyr
yw 'musnes i nawr, nid paratoi darlith ar Poe ac Islwyn! Ble'r
oeddwn i? Yn Kilkenny a siopau teganau.

*Wedi aros dwy noson yn y 'Toby Jug', a dod o hyd i rywun a*
*allai fod yn perthyn i mi, fe ddaethom yma'r bore 'ma i le dipyn*
*gwahanol. Pentref bach yw Cappoquin, yng nghanol y wlad,*
*ond mae Kilkenny'n ddinas led boblog. Rwyf eisoes wedi*
*dysgu mai yma, yng Ngholeg Protestannaidd Sant Ioan, y*
*derbyniodd Swift a Congreve ran o'u haddysg. Rwy'n dweud*
*hynny rhag ofn dy fod ti'n meddwl 'mod i'n gwastraffu fy amser*
*yn llwyr yma!*

Bydd yn rhaid i mi ddweud rhywbeth am y blydi nofel! Cyfle da i ti orffen dy nofel—dyna dd'wedodd hi. Yffarn dân!

*Dwy'i ddim wedi cael llawer o gyfle eto i weithio ar y nofel—na Llwyd chwaith ar ei lyfr yntau,*

Mae hynny'n siŵr o helpu ychydıg.

*ond mae'r ddau ohonom yn gobeithio sgrifennu tipyn o heddi ymlaen. Mae hen fusnes y teulu wedi mynd â'm bryd mae arnaf ofn, a'm hamser hefyd. Fe gei di'r hanes hwnnw i gyd pan ddown ni 'nôl. Mae'n ddiddorol, ond mae'n ormod i un llythyr.*

Beth arall sydd i'w ddweud? Mae'n heulog. Mae'r gwesty'n un hardd iawn, ac yn ddrud. Gwell peidio â sôn am hynny o gwbl. Efallai y dylwn ofyn cwestiwn neu ddau er mwyn dangos bod genn'i ddiddordeb yn y sefyllfa ddomestig—beth yw bargen yr wythnos yn y Co-op? beth yw hanes gwidw Dai gŵr Gladys? wyt ti wedi rhoi dŵr i'r hade mân? pwy sydd wedi marw? a chyffelyb ofyniadau o dudalennau Rhodd Mam y cwm. Ond ni allwn gael yr atebion beth bynnag. Cwestiynau'r ffôn ydynt, nid cwestiynau'r llythyr. Ac nid oes angen i mi ychwanegu at restr cwestiynau'r cwm. Cwestiynau'r ffôn yw'r rheiny hefyd, llafar, isel a distaw dan y llaw sy'n dal pesychiad, cwestiwn y sarff ar gilddant y gwenwyn.

Fuodd John yn angladd ei dad? Dyna oedd cwestiwn cymdogesau fy mam pan ddaeth hi'n amser galaru'n weddus wedi llosgi'r corff. Ac roedden nhw'n gwybod yr ateb cyn gofyn y cwestiwn.

Na, fuodd John ddim yn angladd ei dad. Roedd e'n eistedd yn ei ystafell yn darllen llyfr. Glywi di hynny yn dy bellter o gymylau? Pan oeddit ti'n duo yn gig llosg rhwng y fflamau gwyn roedd dy fab yn cynnau blaen ei sigarèt uwchben ei gyfrol wâr, yn ymlacio yn esmwythder ei barlwr, a the twym wrth ei benelin. Glywi di hynny draw y tu cefn i'r gwylanod? Pan wasgwyd y botwm i'th ollwng drwy dwll y bedd pren i'th ysu gan wres, roeddwn i ar ganol paragraff . . .

. . . ugain munud i ddeuddeg ar fore Sadwrn . . . llosgi olaf yr wythnos, bws diwethaf y fflam i dragwyddoldeb tan fore Llun, a minnau yn eistedd gartref ar ddiwrnod diflaniad fy nhad. Heddiw y rhoddir corff y cyfog sur i ymadael â'i ffurf dyn am byth. Yfory ni bydd dim ohono ar ôl ond dyrnaid o lwch llwyd. Pa atgofion a ddaw ataf o ronynnau'r lludw? Pa atgof sydd gennyf yn awr, yn drysu'r geiriau ar wynder y ddalen hon? Pa feddwl sydd i mi yn y gwybod eu bod yn awr—y funud yma—yn dwr du y gymwynas olaf, yn canu deigryn eu cyfeill-garwch o gopaon eu bryniau Caersalem, yn nofio mewn môr dynol stoicaidd o gariad a hedd?

Mae ffwr sabothol mam-gu yn dal i gosi fy ngruddiau, yn 'nynfa losg fel morgrug coch yr haf ar fy nghlust, a'i chondemn-iadau fitriol dros wal y talcen i ffedog agored Mrs. Joni Rees yn diferu dros ddedwyddwch y crwt wrth ddrws y tŷ-glo. Mae cramen frown y paent yn ffiaidd fel cachu o dan ewin fy mawd, yn staen na ellir mo'i ddileu am fod y drewdod yn oesol ei bar-had ym mhlygion synhwyrau plentyn. Rhoddodd i mi, ar foreau Sul, adnod ei chasineb i'w dysgu am byth—Cymer y callestr hwn ym meddalwch dy law i'w daflu at fryntni dy dad yn ei wely hwren.

A heddiw, llithraist o'th wely hwren i blith y petalau angladd, yn welw ac oer fel cŵyr hen gannwyll i doddi yng ngwaelod y tân o dan haul canol dydd.

Paham na allaf fod yn awr, yn nillad y galar naturiol, yn oedi'n nychlyd ar lan yr afon ddofn? Oni roddaist i mi wefr y mynydd a'r môr yng ngwawr hapus y dyddiau gwyn? Oni osodaist fy mys yn nyth y dryw, a thaflu abwydyn dy chwerthin rhwng fy 'sgidiau tywod ar lethr y lawnt uwch y glesni môr, môr ein taith ar long tad-cu? Oni phrynaist i mi'r lleuad yn llusern ar goeden y sêr, a gosod yr haul yn wres ar gnawd fy nghefn gwyn? Bara a chaws yng ngrug y mynydd, a'r pren llyfn a ganai o'r brigau newydd rhwng dail y coed. A gofi di heddiw, wrth hedfan yn rhydd o afael y tafodau tân, brynhawn ein chwarae haf ar ucheldir Llan-giwg? Fe ddysgaist i mi enwau—nid enwau beirdd a brenhinoedd, nid enwau trymion pregethwyr y cwrdd, ond enwau hudolus y gwŷr a roddaist i mi'n lluniau lliw o becynnau dy sigarèts. Fe'u cofiaf o hyd, yr enwau hynny—Hobbs a Woolley, Hendren a Hammond, Bradman a Duleepsinhji—llu aneirif y glewion a allai 'sgubo'r bêl goch i holl gyfeiriadau agored y maes glas. A'r prynhawn hwnnw, a minnau'n fach mewn 'sgidiau hoelion yng ngwres yr haul, fe'm dysgaist i fatio'n llawchwith—'er mwyn i ti fod yn wahanol i'r bechgyn eraill'. Nid oedd gennym na bat na phêl, ond doedd hynny ddim yn broblem i dad brwd. Daethost o hyd i ddarn o bren, gwnaethost bêl o gwdyn papur ein brechdanau, ac fe'm gosodaist i sefyll wrth fur mynwent eglwys y plwyf i ddysgu taro'r bêl bapur i bellter y môr a'r bae yn y Mwmbwls. Ac wedi gwneud miliynau o rediadau hapus rhoddaist i mi'r bêl garpiog i'w bowlio'n blentynnaidd atat ti, a thithau'n batio—yn llawchwith am dy fod yn wahanol i bawb. A gofi di'r prynhawn hwnnw, a ninnau ein dau yn uchel ac ymhell o stryd-oedd cul y pentref yn y cwm? Fe roddaist i mi'r pleserau bychain hynny. Ac yn y munudau hyn, a minnau'n ddyn mewn parlwr, mae'r fflam yn ddillad amdanat. Dylwn fod yno, yn canu dy fynd yn emyn y cyfeillion.

Ond trannoeth y gêm ar fynydd y plwyf dychwelaist i'r dieithrwch, a'm gadael yn eistedd ar biler y glwyd, yn grwt unig a llawchwith am byth, yn wahanol i'r bechgyn eraill. Codaist dy law o waelod y tyle, y llaw a daflodd ataf bêl bapur ein chwarae, a diflennaist.

Rhoddaist i mi lawenydd dy gwmni glân, ond rhoddaist i mi hefyd dristwch hyll yr absenoldeb gwag. Tydi a roddaist i mi hunllef crwt unig y tân yng ngaeaf dal ei dad ym mhwll nadredd ei odineb. Tydi a roddaist i mi ysictod calon plentyn yn siop gleber y gwragedd, y caws briwsionllyd a'r gruddiau llosg. Tydi a roddaist i mi gyfle i luchio callestr mam-gu at dad fy mynydd chwerthin. Tydi a roddaist i mi gwestiwn dy gariad, ac ni ddaeth ateb oddi wrthyt yng ngwely dy wragedd. Ac am hynny, nid oes gennyf heddiw ddillad i'th alaru, ac yn nhudalennau gwyn fy llyfr, yn fy sipian te, ym mwg diflanedig fy sigarèt, nid oes ond gwacter dyn yn ei barlwr ar ddiwrnod llosgi tad ei gnawd . . .

115

Fuodd John ddim yn angladd ei dad rhwng y mwg a'r blodau mynwent, rhwng daear a nef, rhwng bod a pheidio. Doedd y mab ddim yno pan aeth ei dad, fel y mudion glychau glas, i wlad hiraethau y gwacter di-ben-draw lle can y gôg y tu draw i'r clyw. Nid oedd yno yng ngorymdaith y gweddïau du a'r syllu mud, diymadferth o brennau'r gân alarus . . . Dilead ei dad yn y llosg dwfn . . . Dyfod . . . myned. Cyrraedd . . . ac yna ffarwelio. Digwyddodd . . . darfu. A dyfod rhwyg deufyd rhôm. Fuodd John ddim yn angladd ei dad; dyna'r ateb i gwestiwn cymdogesau fy mam. Cwestiwn y malais o dan y mêl.

A pha gwestiwn diniwed sydd gennyf i Gwen? Gwen—a oes enw llai rhamantus? Pam y bu'n rhaid i mi briodi rhywun ag enw mor blaen ddiaddurn â hynny? Pam nad Dwynwen, neu Amranwen, neu Anwen? Anwen y Rhosyn Coch. Ond Gwen! Gwen, Gwen, ar dy geffyl pren! Meddwl am gwestiwn y mae gennyt yn barod ateb ar ei gyfer. Cwestiwn clychau Aberdyfi—A wyt ti'n fy ngharu i . . . i, fel rwyf i'n dy garu di . . . i! O blydi hel! Llythyr er mwyn llythyr. Peth hollol hurt. Does genn'i ddim i'w ddweud. Dyw'r nodyn hwn yn ddim byd ond ysgrifen ar bapur sy'n brawf fy mod ar hyn o bryd yn fyw ac yn eistedd mewn gwesty yn Kilkenny. Cerdyn ynghlwm wrth goes drudwy . . . sanctaidd epistol poen . . . poen fy nhwyllo fy hun fy mod yn gwneud rhywbeth o werth . . . nofel a cherdd a chelwydd. Cer' o 'ngwallt i Williams Parry! Dandryff y bardd ar f'ysgwyddau. Dos, aderyn, dros fôr o wydr Pantycelyn a'r Datguddiad, a dywed wrthi, nid 'mod i'n wylo'r dŵr yn heli, ond

*Ry'ni'n bwriadu mynd i Ddulyn yfory, ac aros yno tan ddydd Sul. Mae Geraint yn nabod rhywun sy'n gweithio yno, rhywun oedd yn y coleg gydag e 'slawer dydd, ac mae e'n awyddus i ymweld ag e cyn dod 'nôl. Tra bod e'n cymdeithasu, gallaf innau weithio!*

*Bydda'i gartref rywbryd ddydd Llun—amser te, mae'n debyg. Gobeithio y bydd genn'ti darten 'falau yn dwym yn y ffwrn! Tan hynny hwyl i ti a'r bois. Rwy'n eich caru chi'n fawr*

*iawn, y tri ohonoch, ac yn edrych ymlaen at eich gweld. Edrych ar dy ôl dy hunan.*

*John.*

A dyna'r ddyletswydd ddiflas yna wedi ei chyflawni unwaith eto.

Celwyddyn bach diniwed oedd y cyfeiriad yn y llythyr at benderfyniad Llwyd a minnau i weithio'n ddygn am weddill ein harhosiad. Pan oeddwn i'n ysgrifennu at Gwen roedd fy nghyfaill diwylliedig wedi mynd i chwilio'r dref am bethau diddorol—afon ac eglwys, marchnad a chastell, siop lyfrau a hen hen dafarn. Ar ôl gorffen y llythyr, euthum i hefyd—i bostio'r epistol yn bennaf, ac i weld y ddinas.

Fe fu Llwyd, yn ôl a glywais ganddo wedyn, yn astudio pensaernïaeth eglwys gadeiriol Sant Canice a phalas yr esgob. Ni welais i ond y tŵr crwn ac uchel o bell. Mae'n well genn'i'r strydoedd cefn, siop hen bethau, lluniau, llyfrau, a darllen papur mewn caffe. A dyna wnes i—prynu llyfr mewn siop fach yn llwythog gan gyfrolau Gwyddelig, a mynd i le bwyta cyffredin ac anniben i ddarllen am hanner awr.

Cwpaned o de a brechdan gaws; bwrdd bychan fformeica; cyfrol o gerddi. Mae hynny lawer iawn gwell nag eistedd wrth ddesg fahogani mewn gwesty gwydr a choncrid i edrych yn ddwl a di-fflach ar ddalen o bapur. Mae'r ddalen wen fel gwyryf sy'n benderfynol o gadw'i diweirdeb, ac eto'n bryfoclyd ddeniadol yn ei phurdeb. Mae angen amynedd efo merched felly. Ac efo papur gwag. Amynedd, disgyblaeth, a dyfalbarhad—dyna hanfodion y gyfrinach os ydy dyn i lwyddo, p'un ai fel llenor ynte fel merchetwr proffesedig, fel nofelydd neu fel gigolo. A dyw treisio'r papur ddim yn rhan o'r gêm; mae'n rhaid i'r ddalen ei chynnig ei hun o'i gwirfodd, yn dderbynnydd y llif pan ddaw.

*Mae siwgwr ar y byrddau* meddai'r forwyn ffreclog a arllwysai'r te.

A'm llyfr newydd o dan fy mraich, euthum â'r wledd werinol at fwrdd gwag a'i gosod ar y fformeica glas. Roedd y ferch yn iawn—roedd 'no siwgwr ar y bwrdd, yn llythrennol. Fe'i

chwythais i'r llawr, a symud y tomato plastig a'r pot mwstard
i'r naill ochr. Mae llyfr yn haeddu lle da, hyd yn oed mewn
caffe.

Roeddwn wedi darllen, rai blynyddoedd ynghynt, nofel
Christy Brown am ei fachgendod yn Nulyn, a dyma gyfle nawr i
ddarllen ei gerddi am y tro cyntaf. Rhwng cegaid o frechdan
gaws a llwnc o de, chwiliais y teitlau am gerdd i'm cyffroi.

Tudalen pedwar deg naw—'For my Mother'. Dim byd
cyffrous yn y teitl. Ond roedd hi'n fam ryfeddol. Pedwar ar
hugain o blant. A'r mab grotèsg—y bardd hwn—a ddaeth yn
od o'i chroth, yn greadur amhosibl o hagr, yn athethoid
truenus a allai fyw yn unig yn ei droed chwith. A dyma gerdd
i'w fam—yr angyles a'i dysgodd i ysgrifennu â darn o sialc ar
leinio'r gegin. Oni ddywedais, yn fy meddwl dall, nad oes
diffinio ar gariad? Beth ond cariad a allai edrych ar gnawd mor
gymhleth o anobeithiol a'i feithrin yn fardd?

*Only in your dying, Lady, could I offer you a poem . . .*
Cerdd o droed chwith corrach hyllgam o efrydd, a minnau yn
fy nghorff cyfan a chytbwys yn meddwl fy mod yn fardd am fy
mod yn medru sefyll yn syth ac urddasol yn regalia tywysog y
dail deri, a'r blodau'n dawnsio fel merched o gylch fy ngorsedd
bren.

*. . . Never in life could I capture that free live spirit of girl
in the torn and tattered net of my words . . .*
Ni chanodd iddi gerdd tra roedd hi'n fyw ac yn gân o dan ei
groen.

*. . . You were a song inside my skin
. . . a firefly of far splendid light
dancing in the dim catacombs of my brain.*

Fe ganaf innau gerdd i mam, rywbryd . . . ryw ddydd ar ôl ei
marw. Ac oni ddylwn ganu cerdd i 'nhad—y funud yma, mewn
caffe yn Kilkenny, wrth fwyta brechdan gaws? Dyw'r caws hwn
ddim yn briwsioni fel caws cydadrodd yr Urdd 'slawer dydd.
Ysgrifennwn iddo gerdd pe gwyddwn yr un peth a oedd mor
bwysig i mi ddeng mlynedd ar hugain yn ôl—ei fod, hyd yn oed
yn nyfnder lleidiog ei gnodio anniwall, yn dal i garu'r mab ar

biler y glwyd. Ni allaf wybod ac yntau'n farw.

*. . . you printed patterns of much joy upon the bare walls*
*of my life . . .*

Pe gwyddwn ei bod yn bosibl i ddyn beidio ag anghofio'i blentyn wrth ymwthio'n drachwantus i glydwch meddal merch ar ei chefn. Pe gwyddwn gymaint â hynny . . .

*I followed you down paths*
*I would not otherwise have known or dared . . .*

fe allwn gynnig iddo gerdd yn rhyw fath o iawn am ei gasáu. Os casáu hefyd. Am groesi'r hewl efallai

*I touched briefly the torch you held*

am fod mam-gu wedi dweud a dweud a dweud.

*Only in your dying, Lady, could I offer you a poem.*

Mi ddarllena'i hwn eto, a'r cerddi eraill, epil llafar y truan glaf-oeriog na ŵyr, mae'n siŵr, beth yw hunan-dosturi, a minnau mor uffernol o ymwybodol o'r gwendid ynof fi.

Roedd y forwyn ffreclog yn dal i arllwys te a dweud bod siwgwr ar y byrddau, roedd y grŵp pop o dan glawr gwydr y bocs wrth y drws yn dal i lofruddio rhyw faled newydd, ac roedd yr haul yn dal i gynhesu'r stryd. Euthum yn ôl i'r gwesty dan feddwl am Christy Brown.

Roedd Llwyd yn gorwedd, yn llewys ei grys ac yn nhraed ei sanau, ar sidan ei wely sengl, sigarèt yn y naill law a llyfryn yn y llall.

*Wyddost ti* meddai, *fod yr eglwys gadeiriol 'na yn ddau gant, dau ddeg a chwech o droedfeddi o'i phwynt dwyreiniol i'w phwynt gorllewinol, ac yn gant, dau ddeg a thair o droedfeddi o led—North to South—a bod y tŵr crwn 'na yn gan troedfedd o uchder?*

*Weles i'r tŵr, o bell.*

*Lle buost ti 'te?*

*Postio llythyr i Gwen, a phrynu llyfr.*

*Rhywbeth diddorol?*

*Cerddi. 'Come Softly to my Wake'. Christy Brown.*

120

*Pwy yw hwnnw?*

*Neb wyt ti'n nabod 'sbo, ti a dy droedfeddi North to South!*
Cynigiais y llyfr iddo.

*Dwy'i ddim mewn mŵd darllen barddoniaeth. Rho fe*
*man'na am y tro. Edrycha'i arno fe wedyn, cyn mynd i ginio. A*
*chyda llaw, tra 'mod i'n cofio, mae'r ddau ohonom yn mynd i*
*barti heno yn y gwesty 'ma. Parti dynion yn unig, am naw o'r*
*gloch.*

*Ble cest ti'r gwahoddiad 'te?*

Roedd e wedi bod yn siarad gyda rhywun yn y bar, ar ôl dod
'nôl o'r eglwys, hen chwaraewr rygbi, rhywun a fu'n chwarae i
Coventry ar ôl y rhyfel. Fe ddywedodd Llwyd wrtho ei fod yn
nabod Carwyn James yn dda, a phan glywodd e hynny dyma
estyn gwahoddiad i ryw barti a oedd i'w gynnal yn y gwesty.

*'Oes rhaid i mi ddod?*

*Dere bachan, paid â bod shwd un od! Byddi di wrth dy*
*fodd. Meddwl am yr holl gin a'r wisgi 'na. A chred ti fi, os dwy'i*
*nabod y bois 'ma, fydd dim eisiau i'r sawl sy'n nabod*
*hyfforddwr y Llewod dalu am ddim!*

*Ond dwy'i ddim yn nabod Carwyn James.*

*Diawl erio'd, fydd neb yn gwybod 'ny. A dwy'i'n nabod e*
*beth bynnag. Mae hynny'n ddigon da i'r ddau ohono'ni.*

*Olreit 'te. Am awr neu ddwy.*


Fe ddylem gael cawod yn y tŷ. Rhaid i mi gofio awgrymu'r
peth i Gwen. Ac nid rhyw esgus o beth chwaith, rhyw declyn
simsan uwchben y bath. Y peth iawn—ystafell fach sgwâr, cell
o deils gwynion, yr un fath â hon. Blydi grêt! Dŵr twym, glân, a
throchion hufennog y sebon yn rhedeg a llithro drwy flew duon
fy nghoesau a rhwng fy nhraed i drobwll sgleiniog y beipen
wast.

Atgofion am ddyddiau braf y tîm rygbi—y blynyddoedd cryf
cyn casglu'r bloneg hwn o gylch y canol—y plygu cyhyrog a'r
rhedeg chwimwth—y crafangu trachwantus am y lledr
melyn—y taflu pêl fel bricsen boeth o law i law ar hyd y lein—y

blinder corff a'r ymollwng gogoneddus i bren y fainc hir—a'r
gawod ar ôl y gêm. Mor hunanhyderus oeddem yn ein noethni
dynol a digywilydd—camu allan yn gynnes o'r gawod, cerdded
fel mabolgampwyr Groegaidd ar lawr oer yr ystafell-wisgo, a
sychu ein balchder yn binc rhwng ein coesau, ei sychu yn araf-
faldodus fel sychu llestri Dresden. Canem yn groch ein cerddi
cnawd, a brolio'n uchel anturiaethau annhebygol y nos
Sadyrnau chwil mewn dawns a thafarn a rhwng bronnau llawn
ar lwybr y gamlas. Cwmni iach y bechgyn harti, gwyn oedd ein
byd dan y gawod boeth.

Parti felly fydd y parti heno, cwmni'r dynion yn ddigywilydd
eu hwyl, yn agored eu meddwl, yn fras eu chwerthin.

*Beth wyt ti'n dweud? Dwy'i ddim yn dy glywed ti!*

Trois y ddolen i atal y llif dŵr swnllyd, a thynnu'r llen ysgafn
yn ôl i glywed Llwyd yn well.

*Mae'r boi 'ma'n dda.*

*Pa foi?*

*Y Christy Brown 'ma.*

*Ydy, mae e. Fe sgrifennodd y cerddi 'na â'i droed chwith.*

*Beth yffarn 'ti'n feddwl?*

Lapiais y tywel mawr gwyn am fy nghanol a dod allan i'r
ystafell. Roedd Llwyd wedi codi o'i orwedd breuddwydiol ac
yn darllen 'Come Softly to my Wake' yn y gadair wrth y
ffenestr. Eglurais iddo ystyr y droed chwith.

*Fe ddylet ti ddarllen ei nofel e—'Down All the Days'.*

*Oes genn'ti gopi?*

*Oes . . . gartref.*

*Ga'i fenthyg e 'da ti pan awn ni'n ôl.*

Y gosodiad eto, nid cwestiwn.

*Iawn . . . hynny yw, os edrychi di ar ei ôl e!*

Tynnais y tywel oddi am fy nghanol i sychu fy ngwallt
diferog. Ni allai Llwyd ymatal rhag gwneud y sylw bach
anathronyddol—

*Diawl Rawlins, rwyt ti'n mynd yn hen hefyd. Does dim
lot ohonot ti ar ôl. Ble buost ti'n ei threulio hi?*

*Gwen dreuliodd hon, boi . . . neb arall . . . ar wahân i ambell ysgytwad bach hwnt ac yma—cyn priodi wrth gwrs.*

*Wrth gwrs!*

*A mae digon o fywyd ar ôl ynddi hefyd, diolch yn fawr.*

Gwthiais fy mysedd yn galed drwy graster y tywel a rhwbio fy ngwallt yn greulon i'r gwreiddyn a thynnu'r gwaed yn iach i groen fy mhen.

*Meddwl am y Christy Brown 'ma 'te. 'Elli di ddychmygu hwnnw'n cael tamaid? Ac mae'n amlwg ei fod e, yn ôl rhai o'r cerddi 'ma. Dyna ti un peth nad yw e ddim yn 'i 'neud e â'i droed chwith, myn yffarn i!*

*Cau dy geg! Paid â bod mor blydi obsîn. Mae mwy o deimlad ac o sensitifrwydd yn y bachan 'na na sydd yn y rhan fwyaf ohono'ni.*

*Dwy'i ddim yn dweud llai. Ond mae meddwl am y peth yn ddoniol on'd ydy?*

*Rwyt ti Llwyd bob amser yn gweld secs yn ddoniol. Wyt ti'n meddwl bod dy gampau rhywiol dy hunan yn ddoniol?*

*Ydw, ambell waith.*

Wrth gwrs ei fod e. Mae'n rhaid ei fod e. Fflit, fflit, fel iâr fach yr haf o'r naill flodyn i'r llall, neu geiliog y rhedyn o welltyn i weiryn. Dyw'r cnawd i Llwyd yn ddim ond un gweithgaredd yn rhaglen amrywiol ei ymarfer corff, fel press-ups a fflic-fflacs. Dyw merch yn ddim ond rhan o offer y gampfa, fel trawstiau a cheffyl a barrau wal. Mae'n rhaid bod y peth yn jôc; o leiaf, ni all olygu llawer iddo. Does 'no ddim emosiwn, am wn i, yn y weithred o drosbennu dros focs.

*Y drwg yw nad oes genn'ti ddim calon.*

*Paid â 'nhemtio i i gynganeddu!*

Caeodd y llyfr a'i roi ar y ford.

*Wel . . . beth bynnag am ei fywyd rhywiol e, mae e dipyn o fardd, chwarae teg iddo.*

Ochneidiodd yn dawel a chodi o'i gadair.

*Mae'r ochenaid fach 'na'n awgrymu nad y fi yn unig sy'n mynd yn hen.*

*Nid ochenaid o flinder corff oedd honna, 'machan i, ond ochenaid o dristwch wrth feddwl dy fod ti mor sobor o ddifrifol*

123

*ynglŷn â'r busnes caru 'ma! Rwy'n mynd i newid 'y nghrys.*

Oni ddylwn fod felly—yn sobor o ddifrifol? Neu a fyddai'n well i mi ymddwyn yn ogoneddus blentynnaidd o anghyfrifol. Edrych arnat dy hun, yr adlewyrchiad ohonot yn y gwydr hir hwn. Dy lun yn noethni'r drych. Gwyddost fod yr ynni sy'n hongian ohonot yn felys wefreiddiol, yn fythol newydd ei flas, mor newydd â'r gwefr cyntaf, Wrth sychu dyn noethlymun y drych â'r tywel gwyn, rwyt ti'n cofio pob un o'r gwefrau o'r cychwyn cyntaf oll.

Merch Jac yr Oel. Hi â'r gwallt coch a'r sgert gwta. Roedde'ni'n saith neu wyth, dwy'i ddim yn cofio'n iawn. Gad i ni chware yn sied 'nhad meddai. Gad i ni chware gŵr a gwraig, doctor a nyrs, chware tŷ a bod yn fam a thad . . . Gad i mi fod yn nyrs meddai . . . Gorwedd ar y ffwrwm 'na . . . Man hyn mae'r poen ontefe . . . Ie meddwn innau, er mwyn ein bodloni ni'n dau . . . Agorodd fy nillad a dweud, yn hollol oer a gwrthrychol. Gad i fi weld nawr 'te . . . Ac fe gyffyrddodd â mi ym man caletaf fy nghorff, caletach na'r asgwrn cadarnaf . . . Ydy e'n well nawr, gofynnodd. Ydy meddwn innau, a'i roi i gadw . . . Fe gei di fod yn ddoctor nawr meddai, gan gymryd fy lle ar y ffwrwm . . .

Y ferch ddienw honno na welso'ni mohoni wedyn, merch ar ymweliad â'i modryb. Roedd 'no sioe ffilmiau yn Neuadd y Ddawns, a'r elw i gartrefi Doctor Barnardo. Eisteddai'r ferch ddieithr, am fod mam yn nabod ei modryb, yn y canol rhwng fy nghefnder a mi. Drwy gydol y sioe dywyll, roedd ei llaw dde ym mhoced Gwyn, a'i llaw chwith yn fy mhoced i, fy llaw dde i ar ei choes chwith hi, a llaw chwith Gwyn ar ei choes dde hi. Yng nghymhlethdodau'r dwylo doedd y ffilm ddim yn bwysig i neb ohonom; y tywyllwch oedd yn bwysig, a'r iasau cynhyrfus fel mellt yng ngwaelodion y cyrff.

Digon hawdd eu cofio am mai dyddiau chwarae oeddent. Chwarae a dysgu. Sych dy gorff yn y drych hir, a rho grys amdanat, neu ddeilen o'r Eden goll.

Roedd y rhannau ffurfiol, y rhannau arweiniol fel petai,

wedi'u cwblhau pan gyrhaeddodd Llwyd a mi'r parti dynion ym mhen pellaf y gwesty. Roedd rhywun, rhyw was ufudd mewn swyddfa, wedi cyflawni tymor deugain mlynedd o waith cydwybodol a thrylwyr yn un o ganghennau diwyd y cwmni, ac wedi derbyn, hanner awr cyn i ni gyrraedd, o law haelionus cyfarwyddwr a choffrau aur y gorfforaeth, ei wobr mewn siec a wats. Fe'i cyfarchwyd mewn pennill cocosaidd, ei ganmol mewn cwlwm o ystrydebau, a dymuno'n dda iddo ar drothwy bywyd newydd mewn gardd a thŷ gwydr, cegin a chlwb hen oed. Codwyd gwydrau dedwydd mewn llwncdestun a hip hip hwre, a chyhoeddwyd bod y parti bellach yn agored i hwyl, a phawb yn rhydd i yfed a chlebran a chanu tan oriau mân y bore.

Ymgynullasai tua deg a thrigain o gyfeillion gwryw—meibion y gwyll, yn ateb i Ferched y Wawr—yn dew ac yn denau, yn hen ac yn ifanc, yn fonedd a gwreng, ac roedd rhywun hirben a threfnus wedi gofalu bod ystafell eang wedi ei pharatoi ar eu cyfer. Digon o le i symud rhwng y byrddau hirion, ac afradlonedd o ddiodydd i'w hyfed, digon i ddiwallu angen a thrachwant y Gwyddel mwyaf sychedig.

Roedde'ni'n sefyll, braidd yn lletchwith a hunanymwybodol, wrth y drws pan ddaeth maswr Coventry atom yn wên o glust i glust. Tystiai trwch ei fraster i'r ffaith amlwg mai atgof digon tenau erbyn hyn oedd dyddiau'r saethu llithrig drwy ddwylo di-glem blaenwyr ffwndrus y tymhorau a fu ar feysydd emrallt y pedair gwlad.

*Croeso* meddai, gan gydio yn llaw Llwyd a'i hysgwyd yn hurt.

*John* meddai Llwyd, *John Rawlins . . . Mae'n flin genn'i, dwy'i ddim yn cofio'ch enw chi . . .*

*Burke* meddai, heb unrhyw arwydd o siom, a chan gydio yn fy llaw innau â'r un brwdfrydedd lloerig. *Brendan Burke. Dewch draw at y ford i gwrdd â'r bechgyn.*

Fe'n tywysodd yn gynnes ac eiddgar rhwng y byrddau, gan ddweud gair hwnt ac yma wrth fynd heibio wrth gydnabod neu gyfaill, sylw a jôc ac ystrydeb, ymadroddion parod yr un sy'n gyfarwydd â sgwrs ysgafn y partïon ysgafala. Aeth â ni at ford lle'r eisteddai tua phymtheg o wŷr cydnerth—fel tîm rygbi cyfan—yn siarad yn egnïol am rywbeth a ymddangosai, i rywun o'r tu allan i'r cylch, yn hynod bwysig.

Fe'n cyflwynwyd i'r cwmni, a nodwyd â phwyslais arbennig y ffaith anhygoel, ac amhosibl braidd, ein bod yn gyfeillion mynwesol i hyfforddwr llwyddiannus Llewod '71. Roedd y gymeradwyaeth honno, yn ôl y croeso twymgalon a gawsom, a'r symud cadeiriau i wneud lle, a'r chwilio am wydrau, a'r holi am ddiod, a'r parodrwydd gwallgof i'w gyrchu, yn un a berthynai i fyd lledrith y chwedlau. Roedd yn amlwg bod y cyfaill Burke, apostol yr eilunaddoliaeth heintus, wedi rhagrybuddio gwŷr glew y bêl hirgron, oblegid rygbi oedd testun y siarad, a'r daith fuddugoliaethus i Seland Newydd yn arbennig. Neidiai'r enwau cyfarwydd o wydr i wydr—Willie John, Slattery, a Gibson, ac o dro i dro—er mwyn osgoi ymddangos yn blwyfol a chenedlaethol gul—Duckham a Hiller, Gareth a Barry a J.P.R. ynghyd â 'Mighty Mouse' yr Alban.

Gosodwyd gwydraid dienaid o ddigonol o wisgi ar y ford o'm blaen gan ŵr, trigain oed efallai, a atebai i'r enw Mulcahy. Eisteddai gyferbyn â mi, yn llonydd a di-ddweud, gan gadw ei lygaid arnaf fel pe derbyniasai orchymyn dirgelaidd gan brif ymennydd Interpol i ofalu amdanaf a'm cadw rhag unrhyw niwed yn y berw hwn yn llys Matholwch. Gan fy mod innau, fel Mulcahy ei hun, braidd yn dawedog—wedi'r cwbl, doeddwn i ddim yn adnabod gwrthrych eu hedmygedd—ac yn chwannog i gyfrannu i'r ddadl esoterig ynglŷn ag effeithiolrwydd blaenwyr Prydain yn y ryc, gwenai fy amddiffynnwr arnaf o bryd i'w gilydd mewn rhyw fath o gydymdeimlad tyner, fel mam sentimental ar ei phlentyn pan fo hwnnw'n dioddef o nerfusrwydd aros ei dro i adrodd darn o'r Ysgrythur ar lwyfan ei 'steddfod gyntaf. Roedd e'n anferth o foi, tair modfedd o leiaf dros ei chwech, ac yn gryf fel bustach mae'n rhaid, er ei fod yn ymddangos, fel Robert ap Gwilym Ddu neu'r tarw diarhebol yn y siop lestri, yn drwsgwl ac yn ddiffygiol mewn cyd-drefniant corff. Roedd ganddo wyneb mawr sgwâr, a llygaid bychain fel rhai llygoden. Edrychai'r pot peint yn ei law fel gwydr cymundeb, yn fach ac annigonol, am fod ei ddwylo brown a blewog fel rhofiau afresymol o lydan a thrwm. Ni ddywedai air wrth neb, dim ond edrych—arnaf i—a gwenu, ac yfed galwyni, mi dybiwn, o Guinness.

Eisteddai Llwyd wrth ben pellaf y ford, ond gallwn ei glywed yn ddigon eglur, ar waethaf sŵn Babel yr ystafell, yn doethinebu'n dreiddgar am rinweddau digamsyniol C.J. fel hyfforddwr. 'Wyddwn i ddim ei fod mor hyddysg ym mhethau'r maes.

*Ymarfer gyda'r bêl—dyna'r peth, dyna un o gyfrinachau'r llwyddiant yn fy marn i.* Tynnodd yn awchus wrth ei sigarèt a gyrru'r mwg yn ddwfn i lefel isaf ei ysgyfaint. *Fe wyddom fod chwaraewyr Seland Newydd, a llawer gwlad arall, yn ymarfer yn uffernol o galed, yn chwysu'n ddiferog wrth redeg o gwmpas y cae fel ceffylau mewn syrcas, Colin Meads yn cario colfenni ar ei gefn a rhyw nonsens felly, ond does 'no ddim pêl yn agos i'r lle, ac felly dydyn nhw ddim yn dysgu'r sgiliau hanfodol, y pethau sylfaenol fel dal pêl yn ddiogel a'i phasio'n iawn.* Sugn'ad arall o'r tar. *Ond James a'r Llewod—pêl bob tro. Un o'ch bois chi—Gibson ei hunan—dd'wedodd eu bod nhw wedi ymarfer gymaint â phêl yn eu dwylo, roedden nhw'n teimlo yn y diwedd fod y bêl yn ymestyniad naturiol o'u breichiau. Dyna pam oedden nhw'n handlo cystal, ac yn medru ymosod mor hyderus o'u chwarter eu hunain.*

Eisteddodd yn ôl yn ei gadair a chymryd dracht o'i ddiod, fel un o bererinion y Tabard yn adrodd ei stori a chymryd hoe ar ei hanner.

*Ydych chi'n cofio'r gêm yn erbyn Hawke's Bay?*

Nodiodd ambell un wrth dynnu'r gêm arbennig honno i dop y cof a'i gweld yn glir fel adroddiad manwl mewn papur newydd.

*Fe sgoriodd Gerald Davies gais pert rhwng y pyst. Os cofiwch chi, fe ddechreuodd y symudiad hwnnw pan ddaliodd J.P.R. y bêl o dan ei byst ei hunan—un o fechgyn Hawke's Bay wedi cicio'r bêl yn erbyn y pren, a John yn ei dal hi wrth iddi ddisgyn yn ôl i'r maes. Yn hytrach na rhoi cic iddi a'i chlirio, fe ddechreuodd redeg â hi; a'i phasio hi i John Bevan. A dyna symud ar hyd y cae a sgorio. Hyder a handlo perffaith—a'r cwbl yn deillio o'r ymarfer â phêl.*

Roedd pob un o'r gwrandawyr mewn cytundeb llwyr, ac eithrio'r cawr tawel a eisteddai gyferbyn â mi. Gwrandawsai'n astud ar bob gair a ddaeth allan o enau Llwyd, er mai arnaf i yr oedd ei lygaid ar hyd yr amser. Am ryw reswm, troesai'r wên gyfeillgar yn grechwen elyniaethus.

*J.P.R. myn diawl i! Dwy'i ddim yn meddwl llawer amdano fe!*

Nid annerch y frawdoliaeth gyfan yr oedd. Arnaf i yr edrychai, ac ataf i y cyfeiriodd ei gŵyn. 'Wyddwn i ddim sut oedd ymateb heb beryglu fy einioes. Mae'r cefnwr yn dipyn o arwr genn'i, ond nid oeddwn am groesi cleddyfau â'r Mulcahy mynyddog hwn. Creais i mi fy hun bwl artiffisial o beswch huawdl yn ddihangfa lwfr. Estynnodd dros y ford a rhoi pwysau ei law ar fy mraich.

*'Wyddost ti pwy oedd cefnwr gorau Cymru?* gofynnodd, gan wasgu a chloi'r llaw fileinig am fy arddwrn frau. Ceisiais feddwl am y rhai a welswn i fy hun dros y blynyddoedd—Trott, Gerwyn Williams, Terry Davies, Hodgson, Terry Price . . . Beth am Lewis Jones? Mi welais hwnnw fel cefnwr rywdro . . .

*Terry Davies?* cynigiais yn betrus a hollol ddihyder.

*Paid â siarad dwli!* Efnisien wedi troi'n Wyddel. *Cic hir a dim byd arall, dyna oedd hwnnw.*

Daeth ei ben a'i wyneb sgwâr yn nes ataf dros wydrau nerfus y ford.

*Yr unig gefnwr o werth a wisgodd grys coch erioed oedd Bassett . . . Jack Bassett, Penarth.*

Plentyn blwydd yn siôl fy mam oeddwn i bryd hynny, a cheisiais gynnig y ffaith honno iddo fel rhyw fath o gyfiawn-had dros beidio â gwybod. Ond doedd hynny ddim yn tycio chwaith.

*Dyw hynny ddim yn esgus o gwbl* meddai. *Dyna'ch gwendid chi fel Cymry—rych chi'n anghofio'n rhy hawdd, 'run fath â'r blydi Saeson!*

Synhwyrwn fod cof diwaelod y Gwyddel hwn yn ymestyn yn ôl, heibio i Jack Bassett, at Lloyd George, blynyddoedd difaol y newyn tatws, Cromwell a'i fyddin Brotestannaidd, ac at Cu Chulinn ei hun yn niwloedd y dechreuadau.

*Dwy'i ddim yn siŵr fod hynny'n hollol wir* meddwn, a cheisio tynnu sylw Llwyd, neu rywun arall a allai fy achub rhag gwaed y gyflafan a oedd yn sicr o ddod. Dihengwch rhag y llid a ddaw. Roedd efengylwr carpiog yn chwifio placard ei rybudd o flaen fy llygaid, ond roedd pawb yn rhy brysur gyda'u gwydrau ac ymryfal ddoniau'r Llewod i sylwi dim ar benbleth fy mherygl i.

*Dy'ni ddim yn anghofio'n rhwydd.* Roedd dicter crombil y folceno yn ei lais araf a bygythiol. Ni allwn wneud dim ond aros yn yr unfan, fel un o gŵn Pompeii wrth ei hoff goeden, i ddisgwyl fy moddi yng ngorlif y chwŷd poeth pan ddeuai.

Daeth taran isel arall o gyfeiriad y mynydd—
*Wyt ti'n cofio Mawrth yr wythfed, un naw chwech naw?*
1969? Blwyddyn fythgofiadwy yr Arwisgo? Diawl! Beth allai fod wedi digwydd ar yr wythfed o Fawrth a oedd mor anhraethol bwysig i'r boi 'ma? Wythnos ar ôl dydd Gŵyl Ddewi. Doedd genn'i ddim syniad.
*Na, dwy'i ddim yn meddwl 'mod i'n cofio dim byd o bwys ar y diwrnod hwnnw.*
*Wyt ti ddim yn cofio Brian Price?*
Yffarn dân! Cofio am y digwyddiad hwnnw roedd e—y gêm ar Barc yr Arfau, Cymru yn erbyn Iwerddon. Roeddwn i yno. Gwelais y peth yn digwydd, fe welodd deng mil ar hugain y peth, gan gynnwys Carlo'i hun. Price, capten tîm Cymru, yn llorio Noel Murphy—yn hollol agored a chyhoeddus o flaen y stand, y weret berta welais i erioed ar gae rygbi. Fe ddylai fod wedi cael gorchymyn i gerdded wrth gwrs, ond 'chafodd e ddim, ac fe aeth Cymru ymlaen i ennill o bedwar pwynt ar hugain i un ar ddeg. Cofio'r gwarth hwnnw roedd e, fel un a gofiai warth y meirch yn llys Brân. Ofnwn fonclust y cigydd.
*Brian Price*? gofynnais yn ddiniwed ansicr, *Casnewydd*?
*Dwyt ti ddim yn meddwl dweud wrtho'i nad wyt ti ddim yn*

*cofio'r blagard 'na'n taro Murphy!*

*Na, dwy'i ddim yn cofio,* a theimlo'n hynod o anniddig.

Cododd ar ei draed, a chysgodi'r ystafell gyfan.

*Mam Duw! Oes rhywbeth yn bod arnat ti'r Cymro yffarn!*

Fe drodd pawb i edrych ar yr anghenfil rheibus hwn a ddaeth allan o gorff y gŵr hyfwyn a thawel a fu'n gwenu arnaf gyhyd.

*Eistedd 'lawr, Mulcahy* meddai rhywun dan chwerthin, *paid â bod mor hurt!* Trawodd y ford â'i ddwrn nes bod y gwydrau'n canu fel clychau.

*Dyw hwn ddim yn nabod Brian Price. Cymro ddim yn cofio Price! Y celwyddgi yffarn!*

*Gad dy gleber, ac anghofia am Price* meddai rhyw lais arall o ford gyfagos.

*Anghofio! Alla'i ddim anghofio! Mi ddylech chi i gyd gofio, fel dwy'i'n cofio.*

*Cer' i gysgu.*

*Cofio sy'n rhoi'r tân yn ein boliau ni, yr haearn yn ein hysbryd ni!*

*Cer' gartre at dy fam, y mwlsyn dwl!*

*Os nad ych chi'n cofio, rych chi'n farw, y pansis diawl!*

Erbyn hyn, roedd pawb, gan gynnwys Llwyd, yn chwerthin, a daeth Brendan Burke ataf i egluro bod Mulcahy bob amser fel hyn ar ôl cael diferyn. Doedd dim niwed ynddo, dim ond sŵn a golwg gas. Aeth â'm gwydr i ffwrdd i'w lenwi drachefn.

Wedi gorffen ei berorasiwn, eisteddodd Mulcahy yn ei gadair, a llyncu rhagor o'r ddiod drioglyd o'i bot peint. Ebychodd, a dechrau gwenu arnaf eto, a holl gasineb y cenedlaethau—o gell Branwen i'r Blac-an-tans—ynghwsg yn ei hawddgarwch mwyn. Taflodd winc arnaf, a chodi ei wydr. Ymatebais yn yr un modd, a gofyn iddo—

*Ble mae'r tŷ-bach yn y lle 'ma?*

Atebodd e ddim, dim ond gwenu, a chodi ei wydr eto.


Sefyll wrth y wal wen. Cylchau dŵr yn batrymau hylif ar lyfnder di-sŵn y teils.

Fe a'i Bassett!

Liquorice Allsorts! Y rhai mawr pinc—dyna'r rhai gorau, y rhai pinc hynny a smotyn du yn y canol . . . du fel llygad Murphy ar Barc yr Arfau.

Cofio? Wrth gwrs 'mod i'n cofio.

Dwy'i ddim yn cofio Bassett, ond rwy'n cofio Brian Price. Ro'wn i yno; mi welais y cyfan—dwrn fel ergyd. Grêt!

Dim ofan Mulcahy arna'i!

Dicky Owen, Percy Bush, Albert Jenkins . . . na, dwy'i ddim yn cofio'r rheiny, mwy na dwy'n cofio Goronwy Owen neu Pontius Pilate.

Ond rwy'n cofio Price.

Rwy'n cofio merch Jac yr Oel hefyd, cofio'r nyrs, a'r ffwrwm yn y sied.

Merch Jac yr Oel!

Rwyt ti'n cofio merch Jac, on'd wyt ti . . . Cer' 'nôl i dy gwts nawr 'te, a chwsg yn llonydd tan y bore . . . Paid ti â chodi'n gynnar 'fory! Paid ti â chodi o 'mlaen i!

Beth ddiawl sy'n bod ar y zip 'ma!

Cofio sy'n rhoi'r tân yn ein boliau ni! Dyna dd'wedodd e'r mwnci pen-post!

Cofio gormod dwy'i . . . chwarae criced yn Llan-giwg . . . hwren y cwrdd . . . a rhyw bethau diflas felly.

Yffarn! Mae'r zip 'ma'n sownd . . . reit yn y gwaelod.

Dere! Roedd botymau lot yn well . . . edau a nodwydd a dyna ni. Dim eisiau mecanic . . . fel y dam zip 'ma.

Bassett myn cythrel i!

Dyna ni . . . amynedd sydd eisiau . . . amynedd a thipyn o berswâd . . . a dyna ddrws y stabl ar gau. Gwd boi!

Fe a'i Murphy!

'Allwn i ddim meddwl am fynd yn ôl i'r parti. Roeddwn i wedi cael mwy na digon. Diniwed ai peidio, 'allwn i ddim wynebu'r Mulcahy hanner pan 'na eto. Jôc i bawb, a dychryn i mi. Na, dim rhagor diolch.

Sleifiais o'r tŷ-bach i'r lifft . . .

Cofio?
Cofio'r cyfan—Branwen ac
adar Rhiannon, a Blodeuwedd
wrth gwrs, "Di ferch y blodau,
dysg i mi pa ddull yr af i
heibio i'r petalau oll a'm
claddu fel gwenynen yn dy gôl."
Druan o Llew. Gronw oedd fy
nhad. Onid Gronw wyf innau?
"Cofio? Rwy'n cofio gormod.
Nid oes boen fel poen y methu
anghofio yn hunllef byw."
Cofio? Wrth gwrs 'mod i'n
cofio. Mwy na Mulcahy. Fe
a'i Bassett!

. . . ac o'r lifft i'r gwely.
Fe ddaeth Llwyd i'r llofft cyn bo hir, yn iach a rhydd o ffau'r Llewod.

*Beth wnest ti Rawlins i gythruddo'r Mulcahy 'na?*

*O, paid â siarad. Cer' i'r gwely.*

Tynnodd ei ddillad oddi amdano, a'u taflu'n anniben i bobman.

*Ble mae'r Christy Brown 'na?*

*Ar y ford wrth y ffenestr.*

*Nawr 'te . . . tipyn bach o ddiwylliant cyn cysgu.*

Neidiodd i'w wely yn awchus, fel plentyn i ddarllen comic newydd

*Ac yfory, fy nghyfaill—y llyn du. O'Casey a Joyce. Anna Livia Plurabelle. A marciau'r bwledi ar y Swyddfa Bost. Wy'n hoffi Dulyn.*

*Rwy'i eisiau cysgu. Darllen di'r cerddi 'na o'r droed chwith!*

*Tipyn o foi, y Christy Brown 'ma.*

Nid oedd Dulyn yn hollol ddieithr i mi. Buaswn yno rai blynyddoedd ynghynt, yn un o griw swnllyd ar ymweliad anwar a byr. 'Welso'ni ddim byd o bwys. Canlyn yr oeddem y crysau cochion. Pererindod y bois i Lansdowne Road. Hwyl ar drên i Abergwaun a siarad deallus yn hwyr y nos am y gemau a fu. Mordaith hir i Dunlaoghaire ar noson wyntog a bwrdd meddw corcyn o gwch. A'n llygaid yn goch gan ddigonedd diod a phrinder cwsg, cawsom frecwast tenau yng nghaffeteria Woolworth, cawsom fore o fegera brwd am docynnau o boced y goludog a fwytasai'n fras wrth fwrdd y Shelbourne, a chawsom ginio maethlon o ffa pôb a sglodion mewn bwyty seimllyd tanddaearol. Aethom ar fws llwythog i weld y gêm, a rhegi'r tîm am golli—nid yn unig y gêm, ond y Goron Driphlyg yn ogystal. Doedd Price ddim yn chwarae, na Bassett chwaith. Anghofiwyd y colli yn nhafarnau nos y gân a'r emyn. Diolch i Dduw ein bod yn genedl gerddorol. A phan gaewyd y drysau cwrw, aethom i gysgu mewn cotiau croen-dafad wrth glwyd yr orsaf tan y wawr yn oerni Mawrth. Trên sobor a bad meddw yn ôl dros y don i'r fro dirion ac wythnos o salwch Alka-Seltzer. Ymweliad anwar a chyntefig ei bleser.

Mor wahanol oedd cyrraedd heddiw, yn ddiwylliedig ddoeth mewn Peugeot gwyn, a gŵr cwrtais a gwyrdd mewn cap â phig yn cario fy magiau lledr i grombil euraid y Gresham.

Fe'n gwahanwyd ni yn Nulyn—llinell sy'n swnio fel agoriad cerdd drist. Cawsom ystafell yr un, ac roedd hynny'n braf ar ôl rhannu ystafelloedd yn Rosslare, Cappoquin, a Kilkenny. Mae rhywun yn danto hyd yn oed ar gyfaill, ac yn hiraethu am breifatrwydd snobyddlyd yr unigolyn ambell waith. Mae Llwyd yn gydymaith da, yn gwmnïwr diddan, ond ar ôl tri diwrnod neu bedwar fe all y perffeithiaf fod yn dân ar fy nghroen. Syrffedwn ar angel mae'n debyg.

Penderfynais fynd ar drywydd yr achau cyn gwneud dim byd arall. Wedi'r cyfan, hynny oedd un o'r rhesymau dros ddod i'r brifddinas. Felly, ar ôl rhoi trefn ar y wardrob, gos○d fy llyfrau yn gymen wrth y gwely, a stwffio'r nofel fondigrybwyll yn nes at waelod tywyll y bag lleiaf, euthum ar hyd y coridor i ystafell y prins i gyhoeddi fy mwriad.

*Rwy'n mynd i geisio cael gafael ar yr wncwl.*

*Cer' di* meddai, o ganol ei woblin siafio, a chydio mewn tywel gwlyb oddi ar obennydd y gwely. *Mi arhosa'i yma.* Rhoddodd gic anfwriadol i dudalennau rhydd yr *Irish Times* ar y llawr, sychu ei ddwylo, a chwilio ym mhocedi'r siaced a daflasai'n dwmpyn i'r gadair-esmwyth.

*Cer' di â'r car.* Ysgydwodd y got yn ffyrnig. *Ond dwy'i ddim yn gwybod ble ddiawl mae'r allwedd!*

Y mwyaf anniben o blant dynion, fel un o blant Mari, pwy bynnag oedd honno. Taflodd y dilledyn—Chester Barrie wrth gwrs, nid fy San Mihangel i—dros gefn y gadair, ond llith-rodd i'r llawr. Cafodd aros yno, yn gydymaith i'r esgid a'r hances boced.

Roedd yr agoriad ym mhoced ei drowsus.

*Wela'i ti wedyn 'te,* ac yn ôl ag ef i ganol y woblin, gan rwygo'r *Irish Times* ar y ffordd.

Beth bynnag yw ffaeleddau Llwyd, ac maen nhw'n lleng fel rhai pawb, dyw diffyg haelioni ddim yn un ohonynt. Mae ei holl eiddo materol yn fenthycadwy, hyd yn oed y Peugeot drutaf. Car yw car—a dyna'i gred ddiysgog. Peth ydyw, darnau o fetel a phlastig a rwber, wedi eu rhoi at ei gilydd mewn ffatri i gludo dyn o bwynt A i bwynt B. Nid oes ynddo na thegwch na harddwch, na dim byd tebyg i ramant. Boed Fini, boed Lamborghini, teclyn ydyw a dim byd mwy, fel llwy gawl neu gyllell-boced. Os digwydd iddo ryw anffawd, megis ei grafu'n ddwfn gan lori esgeulus neu ei wasgu'n druenus grinclog fel consertina, gellir cael un arall yn ddiffwdan. Ni all Llwyd weld bod car, beth bynnag yw'r enw a roddir arno, yn perthyn i linach y creadigaethau lluniaidd a lledrithiol a ddaeth o'r baradwys honno a welodd lunio clasuroldeb Hispano-Suiza,

Frazer Nash, Bugatti, Duesenberg, Delage, ac Isotta-Fraschini. Dyw enwau'r duwiau'n golygu dim iddo, fel petai canhwyllau'r nefoedd wedi eu diffodd yn wir, a'r 'angylion i gyd' wedi eu tagu. Car yw car. Ac felly, heb drafferth yn y byd, a hyd yn oed heb ofyn amdano, cefais fenthyg y Peugeot i fynd i chwilio am John Rawlins.

Wedi gyrru allan yn ofalus o'r ddinas, deuthum o hyd i'r ardal y chwiliwn amdani—Walkinstown. Roedd un o borth-orion parod y gwesty wedi rhoi cyfarwyddiadau manwl i mi ynglŷn â'r ffordd. Ond roedd gennyf eto'r dasg o gyrraedd stryd o'r enw Crotty Avenue, a rhif 21. Arhosais wrth fodurdy a chael prawf fod y bobl fychan yn eu lifrai gwyrdd yn dal i weithio'n effeithiol i'r sawl sy'n barod i ramantu ychydig—a dwyf innau ddim yn brin o'r gynneddf honno—oblegid cefais ar ddeall fy mod o fewn canllath i gartref Johnny Rawlins.

*Nabod yr hen foi yn dda* meddai gŵr cyfeillgar y garej. *Hen foi iawn yw Johnny.*

A oedd hi'n bosibl fod yr ewythr mor boblogaidd ac adnabyddus â'r nai ym Melleray? Prynais betrol, yn arwydd o'm gwerthfawrogiad o fendith y Tylwyth Teg a chymorth y mecanic, ac anelu am Crotty Avenue.

Curais ar ddrws tŷ digon cyffredin yr olwg mewn stad o dai a ymdebygai i stad o dai cyngor. Daeth gwraig ganol-oed i'w agor.

*Prynhawn da. Rwy'n chwilio am Mr. John Rawlins. Ydy e gartre, os gwelwch yn dda?*

*Ydy . . . mae e yma . . . Pwy ga'i ddweud . . .*

*John Rawlins . . . yn rhyfedd iawn! Hynny yw, dyna fy enw i hefyd.*

*O! Dowch i mewn. Roedden ni'n eich disgwyl chi. Fe ffoniodd Michael yma ddoe . . . Michael o Melleray . . . ac roedd e'n sôn amdanoch chi.*

Fe'm derbyniwyd i'r cyntedd bychan a chyfyng, ac wedi i'r wraig ddieithr gau'r drws, aeth â mi drwodd i'r ystafell-fyw yng nghefn y tŷ.

*'Nhad, dyma chi'r John Rawlins arall wedi cyrraedd!*

Mewn cadair wrth y lle-tân eisteddai henwr gwelw ei wedd. Pan ddeuthum i mewn i'r ystafell, cododd yn araf—drwy rym ei freichiau yn hytrach na thrwy wendid amlwg ei goesau—ac estyn i mi law wen, esgyrnog a chrynedig.

*Croeso* meddai. *'Steddwch, a gwnewch eich hunan yn gartrefol.*

Er ei fod yn hen, ymhell dros ei bedwar ugain dybiwn i, ac er bod ei ddwylo'n crynu, safai yn syth fel milwr, fel un o arwyr balch a gwlatgarol dioddefaint y Pasg. Yr oedd yn dalach na mi o ryw bedair modfedd neu fwy, ac edrychai arnaf drwy bâr o lygaid glas golau a dyfrllyd. Roedd croen ei wyneb fel haenen o gŵyr gwyn, yn llyfn a di-rych, ac eto'n fregus fel gwydryn tenau. O'r brithgo' ansicr sydd gennyf am fy nhad-cu, teimlwn nad oedd John Rawlins yn annhebyg iddo. Ond efallai mai dychmygu tebygrwydd teuluol yr oeddwn.

*Pryd ddaethoch chi i Ddulyn 'y machgen i?* gofynnodd, wrth ei ollwng ei hun eto yn ofalus a phwyllog i'w gadair feddal.

*Y bore 'ma. Mae 'nghyfaill a mi'n aros yn y Gresham; ry'ni'n bwriadu aros yno heno a nos yfory cyn mynd 'nôl i Rosslare ddydd Sul, ac yna i Gymru fore Llun.*

Synhwyrwn nad oedd ganddo lawer o ddiddordeb yn y Gresham.

*Beth oeddech chi'n ei feddwl o Cappoquin?*

*Lle braf iawn, lle da am wyliau.*

*Ydy, on'd yw e. Mae arna'i hiraeth am Cappoquin erbyn hyn, er 'mod i wedi byw yma yn Nulyn ers blynyddoedd bellach. Mae Cappoquin mor llonydd—lle da i hen ŵr fel fi gael eistedd yn yr haul yn yr haf ac wrth y tân yn y gaeaf.*

Siaradai'n dawel ac yn ddwys, fel un yn siarad ag ef ei hun, ac fel petai'n ymwybodol o agosrwydd Porth y Nef a'r Bywyd Tragwyddol.

*Wel, nawr 'te, beth am eich tad-cu? Rwy'n deall mai un o fechgyn Cappoquin oedd e hefyd.*

*Ie, mae'n debyg.* Ac euthum unwaith yn rhagor dros yr hanes a wyddwn, yn y gobaith y cawn fwy o wybodaeth gan y gŵr oedrannus hwn.

Yn ystod yr adroddiad, yr holi cwestiynau, a'r trafod, eisteddai'r ferch ar gadair bren blaen wrth y drws, a'i gwrando astud yn arwydd sicr o'i diddordeb yn y sgwrs. Fe'm gwahoddodd i aros i de, a derbyniais, ond er i mi gael blas ar eu croeso, ar frechdan jam a theisen ffrwythau, ni chefais ddim am fy nhad-cu ond awgrym, digon anfwriadol mae'n siŵr, o ddirgelwch dan orchudd o ddistawrwydd digon bwriadol. Mi ddysgais gan yr hen gyfaill nad enw Gwyddelig wedi'r cyfan yw Rawlins, mai *Huguenots* Ffrengig a ddaeth ag enw'r teulu i Iwerddon ar ôl i Lewys y pedwerydd ar ddeg ddirymu Datganiad Nantes ym 1685, a bod un o leiaf o'r praidd wedi'i enwogi'i hun—fel milwr lled bwysig ym myddin Washington. Cefais wybod hefyd, a byddai hyn yn sicr o fodloni Llwyd, fod un cefnder cyfoes wedi gwneud ffortiwn olew iddo'i hun yn yr Unol Daleithiau. Ond nid oedd unrhyw sôn am forwr ifanc a fentrodd hwylio o harbwr Waterford tua diwedd y ganrif ddiwethaf. Ar y pwynt hwnnw yr oedd John Rawlins yn eithaf pendant a chlir.

*'Chlywais i ddim erioed am neb o'r enw Maurice yn perthyn i'n teulu ni, a chredwch chi fi, rwy'i wedi chwilio hanes y teulu'n fanwl ar hyd y blynyddoedd.*

Pan gyfeiriodd ei ferch, yn ystod y pryd bwyd, at ryw hanesyn tywyll a glywsai gan ei mam pan oedd hi'n blentyn, stori am gyffro dirgelaidd yn hanes teulu'r tad, mynnodd yr hen ŵr mai dychmygu yr oedd. Doedd 'no'r un morwr yn perthyn iddyn nhw! Roedd honno'n ffaith ddiymwad, fel yr ysgerbwd nad oedd unrhyw gysgod ohono yn y cwpwrdd, neu'r fodryb wallgof na fu hi ddim erioed yn trigo dan glo mewn ystafell ar y llofft.

Ffarweliais â Johnny Rawlins—yr ysbryd gwyn a ddaeth ar adenydd merthyron Ffrainc i fyw ar samwn a brithyll afon Dyfrddu rhwng Lismore a Melleray'r ail ganrif ar bymtheg. Ond wrth y drws ffrynt, dywedodd ei ferch wrthyf, yn ddistaw isel a llechwraidd fel petai ei heinioes mewn dirfawr berygl, fod yno stori ddiddorol rywle yn nyfnder cof y teulu.

*Fe garwn yn fawr iawn wybod beth ydyw* meddai. *Mi wn i*

*fod mam wedi dweud wrthyf flynyddoedd yn ôl, ond dwy'i*
*ddim yn gallu cofio'r peth.*

Diolchais iddi, ac addo galw eto os byth y deuwn i Ddulyn.

Modurais yn ôl i ganol y ddinas, yn teimlo'n 'wynad ac yn gas wrthyf fi fy hun am fod mor ddi-weld ac esgeulus. Gwyddwn erbyn hyn y dylwn fod wedi treulio llawer mwy o amser yn festri'r eglwys yn Cappoquin, a gwneud y gwaith yn llwyrach. Dylwn fod wedi casglu rhagor o fanylion am blant a rhieni a dyddiadau'r Rawliniaid, a cheisio gweld yr holl gang-hennau a nodi'r mannau cyswllt. Dyna'r unig ffordd i roi'r ysgerbwd yn ôl yn y cwpwrdd, y fodryb od yn ôl dan glo. Doedd cofnod un bedydd, enw un plentyn, ddim yn ddigon i ddatgelu'r stori gyfan. A beth allai'r stori honno fod? Plentyn drwy'r berth? Lleidr cefylau? Llofrudd? Mewn pentref mor fach a chymdogol â Cappoquin, ni allai John Rawlins, nac unrhyw un arall o deulu ei dad, fod heb wybod am fachgen yn dwyn yr un cyfenw yn yr union gyfnod yr oedden nhw'n byw yno. Rhaid bod rhywun yn cuddio rhywbeth. Ond pam, a sut oedd dod o hyd i'r ateb? Penderfynais, rywle rhwng Walkins-town a Pharc y Ffenics, fynd ati o ddifri i chwilio'r gyfrinach ar ôl mynd adref drwy ysgrifennu at yr offeiriad a gofyn am ragor o gofnodion y plwyf. Ryw ddiwrnod, fe awn at enw'r morwr a'i ryddhau yn llwyr o garchar ei gyfrinach. A mynd yn ôl i Crotty Avenue i ddweud wrth ferch John Rawlins. Damio'r gwel-wddyn tal yn ei esgyrn brau! Pam na allai ddweud? Os oedd helynt neu gymeriad yng ngorffennol y teulu a ystyrid yn an-ffodus neu hyd yn oed yn gywilyddus, paham y dylid gwneud pob ymdrech i'w guddio, ac os yn bosibl ei ddileu yn gyfan gwbl? On'd yw pobl yn ddiawledig o od a styfnig!

Rhoddwyd Jac yn seilam Pen-y-bont ddeugain mlynedd yn ôl. Mae e yno o hyd, yn hen ŵr wedi drysu'n lân, hen ŵr bach â llygaid duon yn sgleinio fel glo carreg, yn eistedd ar ei gwrcwd am mai colier oedd ei dad, ac yn cyfrif blynyddoedd y byd-ysawd ar filiynau o fysedd. Arferai ddweud wrth ei fam, pan âi hithau i'w weld ar Sadyrnau'r cyfnod cynnar, *Fi yw'r unig fachan call sy' 'ma.* Call neu beidio, pan fu farw'r fam, bythefnos ar ôl claddu'r tad, fe benderfynodd ei frodyr a'i chwiorydd beidio â sôn am Jac ragor am ei fod yn medru mesur oedran y sêr ar gledr ei law. Ac fe'i gadawyd yn ddienw ac anhysbys i eistedd ar ei gwrcwd ar ffordd laethog ddi-ben-draw y golau-flynyddoedd o ddydd i ddydd ac i dragwyddoldeb. Jac? Dy'ni ddim yn siarad am y brawd a gladdwyd yn fyw yng ngwallgofrwydd y lloer. Tynnwch y llenni Hanna, rhag i'r haul busnesgar ein gweld yn chwarae chwist â chardiau Jac.

Mae Gwallter Cwmcila yn crogi wrth raff, a does neb yn gwybod pam. Does neb o'r teulu, na'r teulu-yng-nghyfraith, na chymdogion y tai yn y teras cynnes-gyfeillgar, na chwrdd y diaconiaid, na'r byd yn grwn, yn deall paham mae'r baglau cam clymherc'og yn ysgafn hongian fel cortynnau gwawn tenau yn y glaw creulon a'r gwynt dan goeden yr ardd. Gwallter bengam yn fud ar siglen y cymylau, a'i draed yn gweiddi am gael cyffwrdd ag abwydyn y pridd lle tyf y bresych dan gangau'r afallen werdd. Claddwyd Gwallter yn ddigon pell ac yn ddwfn yn y ddaear, a llosgwyd y rhaff y tu ôl i'r twlc, rhag ofn i'r plant gael hwyl wrth sgipio dros gortyn gwddwg eu tad diflanedig. Gwallter? Pwy yw Gwallter? Dy'ni ddim yn siarad am Gwallter Cwmcila mwyach. Aeth ei enw i chwifio ar ganghennau'r nos ym mhen-draw'r byd.

Aeth Lisa Pen Pownd, yn ddwy ar bymtheg oed ac yn bert fel blodeuyn, i Ferthyr am ddeufis. Aeth ei mam, Gwenni Pen Pownd, yn bump a deugain ac yn hyll fel hwch, i'r un man yr un pryd ac am yr un talm o ddyddiau. Aethant yn ddwy. Daethant yn ôl yn dair. O groth p'un, gofynnai pawb, y daeth y trydydd i'w gadachau trwm? Fe wyddai pawb. Ni ddywedai neb. A buont fyw yn deulu dedwydd, rhwng seiat a chyfeillach a chadw'r mis, yn chwaer a chwaer a mam, yn ferch a'i mam a mam ei mam, y ferch yn galw'r fam-gu yn 'mam', a'r fam yn galw'i merch yn 'chwaer'. A phawb yn gwybod. A neb yn dweud dim. Merthyr? Ble mae Merthyr? Does neb yn sôn am Ferthyr yn tŷ ni. Ond fe hoffwn bob munud o'n gwyliau pan chwythir ni yn lân, ac yn dair gyda'i gilydd, trindod ein cyfrinach gyhoeddus, i yfed y brwmstan o ffynhonnau Maesyfed, i

139

fwydo'r elyrch diwair yn Llandrindod y llynnoedd.

Morwen druan, o Ynysgelynen. Daliaf, meddai, ben y peth hwn a ddaeth drwy boen y clwyf erchyll, y poen a'm rhwygodd yn agored wyllt, daliaf ei ben bychan o dan obennydd y dŵr gloyw yn ffrwd y rhedyn a'r cnau cyll, daliaf ei ben uwch gwely'r graean, a boddi'r atgof am neidr y llanc yng ngwair y llwyni, daliaf ei ben . . . Roedd pawb yn gwybod, ond does neb yn cofio erbyn hyn i'w thad ei gweld mewn pryd a chymryd y mab i'w sychu dan ei wasgod.

Esgyrn yr ysgerbydau yng nghypyrddau'r cwm. Felly yr oedd hi pan oeddwn i'n tyfu ar gam rhwng mwg y pentrefi a gweiryn y bryn.

Ac onid oes gennyt tithau—fy mrawd yn y cysgod hwn ar bedalau y modur gwyn—ysgerbwd y buost am hir yn ei gadw mewn blwch diagoriad? Oni chuddiaist yr allwedd yng ngwlanen dy fam-gu pan ddaeth hithau o gegin ei chysegredigrwydd carbolig i sgrwbio staen halen yr amrannau oddi ar gymrwd piler y glwyd? Fe wyddost tithau am guddio'r fodryb yn nistawrwydd anesmwyth y llofft. Ac felly, fy mrawd yn y cysgod hwn, paid â gweld bai ar henwr yn ei fasg o wêr cannwyll a'i amwisg o groen.

*Yn anffodus* meddai'r congrinero swâf yn llewyrch ysblander ei wisg ddiwetydd, *does dim byd o werth ar lwyfannau'r ddinas yr wythnos hon. Ysywaeth, mae dy gyfaill Yeats, a Synge, ac O'Casey'n absennol—dros dro, wrth reswm. Does 'no ddim y tu ôl i'r llenni ond rwtsh gwag y bois cyfoes diawen. Ond paid â phoeni, mae 'no bethau eraill i'w gwneud, digon o bethau eraill i'w gweld, pethau y dylai pob bardd gwerth ei halen eu gweld nhw.*

*Fe'm rhoddaf fy hun, gydymaith gwybodus, yn dy ddwylo gwâr. Ond rwyf am weld un peth yn arbennig—gorweddfan y Capten Gulliver yn eglwys Sant Padrig. Mae genn'i feddwl uchel o hwnnw.*

*Pob un a'i ffansi!*

Yn hwyr glaslwyd y dydd, a thrannoeth yn haul y bore Sadwrn, aethom ein dau yn rhydd a diofid ar feri-go-rownd Baile Atha Cliath, yn dwristiaid diwylliedig, yn chwil ym mhendro'r cylch sy'n troi ar echel drilliw'r canrifoedd—du a gwyn y ddeunawfed mewn carreg a maen, a phaent gwyrdd yr ugeinfed ar gaban-ffôn a blwch-postio.

*Oes 'no stryd* holodd y tywysydd, *mewn unrhyw wlad ym mhedwar ban y byd, sydd yn debyg i hon?*

Llydan fel dyfroedd Mississippi, a pheryglus, fel Iorddonen, i'w chroesi. Ond croesi stryd O'Connell sydd raid fel y gallom ddiosg ein sandalau annheilwng wrth borth teml y Swyddfa Bost. Llafarganwn, Llwyd a minnau, salm ryddiaith-ymddiddan o fawl i'r beirdd-filwyr diofal, dienaid, anhygoel o feiddgar, esgeulus frwd yn eu dewrder breuddwydiol, ac eilio'r emyn o glod i'r fyddin chwerthinllyd garpiog, hosanna i'r Padi ar ddydd yr Atgyfodiad. Sillafwn yr enwau, a'u llefaru'n ddefosiynol—Pearse, Connolly, a Michael Collins. Saliwt i afreswm gogoneddus eu rhech i wyneb piws prydeindod y cadfridogion. Her y corachod—balch o'r tir o dan eu traed—dan wg y morwr uchel unllygeidiog, y llyngesydd a ddaeth, yn ein dydd ni, yn hynod deidi i lefel y llwch a'i gerrig i'w ganlyn o gwmwl y fflach.

Codwn, wrth basio, ein capiau i'r Arglwydd Gray. Canmolwn ei gynllun, a chanwn—yn y meddwl—y gerdd sy'n cynnig Dŵr, dŵr, dŵr i bob sychedig un. Mae'r alaw ddirwestol yn tasgu'n ôl o ddelw sych y Theobald Matthew a geisiodd ddarbwyllo'r gwyddelymeitiwr ansicr ei gam ar belmynt yr wybren fod porter, fel Golïath, yn herio dyn a Duw. Ond mae'r gân yn mynd ar goll yn atsain nodau pob tenor a gân mewn tafarn rhwng dwndwr y bysiau deulawr a ffanffer y cyrn o gwmpas y Garda sy'n gwneud ei orau glas i blesio pawb.

*Draw yn y man'na* ebe Llwyd, sy'n gwybod pob peth, *mae'r Shabby.*

Ond 'awn ni ddim i weld. Dim ond clebran yn gyfoglyd ddoeth am Horniman a Gregory. Dyw Synge ddim yn wylo heno yn rhewgell y cyrff

Eisteddwn, yn hytrach, dan angylion Daniel, a chyfrif llosgiadau'r metel yn eu mynwes efydd ac ar fraich. Bodau adeiniog O'Connell, yn gwarchod y gŵr sydd a'i law ar ei frest a'i droed at yr afon, ac ar ei ysgwydd lydan faw gwyn y colomennod diegwyddor.

Mae lled y bont, am wn i, yn fwy na'i hyd. Ta waeth am hynny, ysmygwn yn fyfyrgar uwch y llif tywyll. Hwylia gweddill fy sigarèt yn gwch ar ddüwch Liffey, yn araf ar y dŵr o fryniau Wicklow i aber y môr yn Dunlaoghaire.

Yn narlun yr afon mae casgenni'r bragdy a meddwdod hen weddwon a boerodd i lygad y Theobald ddŵr. Yn olew yr afon mae adlewyrch y Tolldy'n crynu yn oerni diwedd y dydd.

Dedalus wyf ar draethell Sandymount. *Rwyf yma i ddarllen llofnod pob peth.* Yma rhwng y colofnau cerrig a'r delwau pres—Burke, Goldsmith, a Grattan. Y llaw galed a chadarn. Y Banc dilygad, dall. Archaeolegwyr llenyddol yn chwythu'n ofalus y pridd llychlyd a'r llwch priddlyd oddi ar adfeilion y geiriau.

Daliai Joyce, pe dinistrid y ddinas, y gellid ei hailgodi drachefn, nid mewn tridiau, ond o'i lyfrau ef. Mor bwysig yw'r lle ym mhatrymau'r dweud. Realaeth daearyddiaeth y gerdd. Cwpan wrth gadwyn ym marc Cwmdoncyn, yr wtopia ar fynydd Gellionnen, yr ynys ar Lough Gill, y Lôn Wen *sy'n mynd dros Foel Smatho i'r Waunfawr ac i'r nefoedd.* Chwilio'r Piwritan wrth gapel y Rhos Ddu. Darllen am dyrfa'r sêr uwch beddfaen y Crug Glas, a'r Lladin ar fur yn Lledrod.

*Dere* meddai Llwyd, *am ddiod i'n cynhesu.*

Chwilio diod gyda Joyce yn nhafarn moesol Ulysses. Ond nid oes ar loriau parlyrau Davy Byrne yn Stryd y Dug flawd-llif fel cynt lle gallwn boeri fel yn nyddiau Nosey Flynn. Carpedi mud o fur i fur, a lliw lanternau'r hydref yn y goleuadau gwan di-weld. O geg sidêt pob gwydr ni ddaw ond sŵn main y mân-siarad a glywir mewn unrhyw dŷ-cwrw a feddalwyd ac a lyfnwyd gan flodau plastig a sidanau'r *nouveaux riches.*

Diod arall, yn y snyg yng nghefn tŷ Mulligan. Hwre i'r tŷ am beidio ag ildio, am gadw'r pren yn galed y tu ôl i'r meinciau, am gadw O'Halloran yn fyw ac yn iach. *Irish and Apollinaris* meddaf wrthyf fi fy hun, a chodi fy nghwpan i Dubliners y gegin gefn.

. . . Coffi a brandi a gwely rhwng waliau solet y Gresham.

Peth poenus o bryfoclyd, a ffordd sicr o rwystro cwsg esmwyth, yw meddwl am freuddwyd ymlaen llaw, a dymuno'r profiad ohoni yn nhywyllwch y glustog. Ceisio'i chreu a'i llunio fel drama ar ffilm.

## HYSBYSEB

### Casetiau Cwsg Cyf.

Dewiswch eich hoff freúddwydion o'n catalog newydd. Du a gwyn, neu liwiau ymfflamychol yr enfys. Nid oes brofiad yn hanes y ddynoliaeth gyfan nad oes gennym freuddwyd ohono. Gellwch alw

neu ffonio. Paham gwastraffu oriau'ch
cwsg yn ymboeni am freuddwydion gwreiddiol
a digynllun. Erbyn hyn, gellir rhoi
slot yn eich ymennydd heb beryglu
na chyfanrwydd na chytbwysedd eich
pwyll. Mae'r driniaeth yn un gyflym
a di-boen. Cewch goffi a bisgedi i'ch
cryfhau, a chewch ddychwelyd i'ch
gwaith yn y prynhawn. Gofynnwch i'ch
meddyg am fanylion, a siaradwch â'ch
gwraig ynglŷn â manteision amlwg y
driniaeth newydd hon. Cofiwch yr enw:
CASETIAU CWSG CYF.
Ffôn: Abercwmclustog 000

Dewisais gasèt, a'i gwasgu'n fwyn i'r slot yn fy ymennydd: Tŵr
Martello ar eithaf y trwyn ym Mhenrhyn Gŵyr, a byw ar fara
gyda Morgan Llwyd.
Ond 'weithiodd y freuddwyd ddim.
Dewis un arall—mewn lliw: bwthyn mwsog yng Nghwm
Ystwyth, a byw ar win coch gyda Dafydd lan Deifi.
Ond 'weithiodd honno ddim chwaith. A chysgais mae'n
debyg—rywbryd cyn y bore—yn ddifreuddwyd . . .


*Mae'n rhaid i mi weld Swift!*
*Dere 'te* meddai Llwyd yn haul y bore Sadwrn a chig moch
Gwyddelig, di-fras a blasus, a'r cogydd yn canu yn y ffrimpan.
Dangosodd i mi eglwys y Deon.
Uwch y porth, y geiriau: Yma y gorwedd Jonathan Swift,
Deon yr eglwys gadeiriol hon am ddeng mlynedd ar hugain . . .
*Beth wyt ti'n ei hoffi ynglŷn â hwn? Sais, nad oedd ganddo
ddim cariad at Iwerddon.*
*Darllen di hwnna—Ubi saeva indignatio ulterius cor
lacerare nequit. Dyna be' dwy'i'n ei hoffi, y dicter milain. Fe
alwodd hwn ei awen yn 'Malignant Goddess'. Caniatâ, fy
mrawd, i mi ddyfynnu—*

*My hate whose lash just heaven has long decreed*
*Shall on a day make sin and folly bleed.*

O am ddawn y fflangell eiriau! Fe garwn innau, ambell waith, deimlo'r chwip yn greulon yn fy llaw. Swift ar y naill ysgwydd, Pope ar y llall, yn sibrwd i'm clustiau sillafau'r gwen-wyn sy'n difa'r llygod. Os ydy Cymru'n 'wlad y menyg gwynion' am garnau'r Houyhnhnms, mae ôl traed yr Yahoos ar ei ffyrdd. Yr ymgecru pitw a phlentynnaidd wrth geisio'r cerrig melyn. Damsang y gwan a'r dibwys, a chynffonna'n siwgraidd neis wrth din y dylanwadol bwysig. Llwybr llysnafedd y malwod Cymreig. Y marc cyfoglyd sy'n ymdroelli tua'r pant a rhwng ein traed. Poer sbeit y rhai bychain. Gwell eich taro, meddai Pope, gan fellten na chan bot-piso. Pope a'r Deon, rhowch i mi fenthyg awen y dduwies ddieflig.

Ac eto, gwn fod y Deon hwn yn fy nghondemnio i. Onid y corryn wyf, ym mrwydr y llyfrau, yn nyddu fy ngwefr mewn gair o'm bol fy hun? Pwy sy'n iawn? Ai Swift, ynte Pantycelyn? Mae'r sawl sy'n credu yn *Catharsis* y gwenwyn yn magu gofid iddo'i hun mewn mwy o wenwyn. Fe gredai'r Deon hynny. Ni chredaf innau felly. Ysgrifennaf, pan gaf gyfle, nofel am fy nhad, a chael yr wylan i grafu'r cancr yn lân o'm tafod, y crawn-ffiaidd o rwng fy nannedd. Nid llyfr hawdd fydd hwnnw, nid stori i'r sawl a gâr y cyrff ar draeth astell y modur llyfrau, nid llyfr gosod i blant na maes llafur dosbarth y gymdeithas ddiwylliadol. Daw'r geiriau o gymhlethdod fy mherfedd, ond fe ddônt yn iechyd ac yn lles.

*Roedd e'n dipyn o foi gyda'r merched, on'd oedd e?*
*Pwy?* 'Nhad? Oedd medden nhw.
*Hwn. Swift.*
*Roedd ganddo serch angerddol, medden nhw, ar waetha'i ddicter ofnadwy.*
Varina, Vanessa, a Stella wrth gwrs, Stella yn fwy na neb. Ac nid y nhw yn unig. O wragedd arglwyddi a merched gwŷr bonheddig, i lawr at ferched cyffredin marchnadoedd Dulyn a chanddynt chwaeth at bennill ac odl, a hyd yn oed y llaw-forynion anneallus nad oedd ganddynt chwaeth at ddim yn y

byd, ymostyngai hierarchaeth gyfan i lywodraeth fympwyol ei serch, gan dderbyn ei ffafr yn ôl fel y gwelai yn dda i'w chynnig.

*Rhaid bod ganddo galon dda—yn ffigurol ac yn llythrennol. Yn ddiamau.*

Dwyt ti Llwyd ddim yn annhebyg iddo; yr edrychiad sy'n anniddigo merch a'r siarad llyfn sy'n ei swyno. Talent felly oedd gan fy nhad mae'n rhaid, oblegid, yn ôl a glywais dros y blynyddoedd, roedd ymerodraeth ei goncwestau ar gyfandiroedd y rhyw deg mor eang ei therfynau ag eiddo'r Deon ei hun, os nad yn ehangach. Yr unig fenyw y gwyddwn i amdani pan oeddwn i'n grwt bach oedd honno y daliwyd ef yn ei thŷ, y wraig a ganai alto yng nghôr y cwrdd, gwrthrych melltith mamgu. Pan aeth i Lundain fe briododd fy nhad honno, a byw'n ddigon hapus am wn i, nes iddi hi ddod adref o'i gwaith ryw ddiwrnod, yn gynnar ac annisgwyl, a'i ddal e ym mreichiau nadreddog merch ifanc ddieithr. Druan ohono! Fe'i daliwyd e'n rhy aml. Hynny oedd ei bechod mwyaf. Beth, tybed, oedd achos ei grwydradau mynych ac amrywiol? Ai cnawdolrwydd bwystfilaidd yn unig? Pleser ei gorff noethlymun? Os felly, roedd e'n haeddu cael fy nal—damo!—ei ddal—y fe nid y fi—beth sy'n bod arna'i—siarad amdano fe yr wyf, nid amdanaf fi fy hun—y dam adnod 'na eto—y tad a'r mab . . . Nwyd a blys anniwall, ynte'r anghyfrifoldeb rhamantus sy'n codi o gryfder emosiwn digon hardd, y gynneddf farddonol sy'n esgor ar y math o berthynas rhwng dau nad yw cyplu'r cyrff yn ddim ond canlyniad rhesymol naturiol ohoni? Ymfodloniad hunanol yw hanfod y cydorwedd anifeilaidd; ni all y berthynas gariadlon fod felly gan mai gwreiddyn y berthynas honno yw dilead yr hunan yn y dymuniad a'r ymgais i gyfrannu cymaint ag sy'n bosibl i gyflawnder hapusrwydd rhywun arall. Aberth yw gwaelod a phinacl pob cariad.

Paid â siarad fel pregethwr! Baldorddi wyt ti. Athronyddu'n amrwd er mwyn dy blesio dy hun a chreu cysur i ti dy hunan yn y gred y gallai dy dad fod wedi dy garu di hyd yn oed pan oedd e'n suddo'n ddwfn i wewyr rhyfeddol y ferch a ochneidiai oddi tano. Dyn ydoedd a allai ddenu merched. Fe wyddai hynny. Roedd yn falch o hynny. Hynny a roddai bleser a boddhad iddo; hynny oedd yn bwysig iddo. Os nad hynny, beth? Pa reswm oedd ganddo dros garu cymaint—yn y cwm, yn y cwm nesaf, yn Birmingham, yn Llundain, yn Hull?

*'Wyddost ti fod 'no gofeb i Hester Johnson yn y groesfa ogleddol?*

*Na, 'wyddwn i ddim hynny.*

*Wel, dere 'te. Mae'n rhaid i ti weld enw 'Stella'.*

Hull o bobman! Be' ddiawl a'i tynnodd e i le felly? Wyddwn i ddim am ei ymweliad â'r lle hwnnw tan y llynedd. Eisteddem ar wal y môr yn Ystumllwynarth, yn gwylied y morwyr penwythnos yn eu difyrru eu hunain yn eu cychod lliwgar ar ddŵr glas y bae. Roedd Eurof, hen gyfaill o ddyddiau plentyndod a'm gwas priodas, gartref ar wyliau o Kuala Lumpur, ac roedde'ni wedi bod yn cerdded rhai o'r hen lwybrau atgofus rhwng y traethau cyfarwydd. Dwn i ddim sut y daeth y peth i'w feddwl, ond fe dd'wedodd yn sydyn wrth daflu carreg i'r dŵr

*Glywais i stori am dy dad y dydd o'r blaen.*

*O* meddwn, a dangos fy wyneb yn gyfan i'r haul.

*Ro'wn i'n cael gêm o snwcer yn y 'stiwt, a phwy oedd yn eistedd man'ny ond Dai Jones—ti'n nabod e, mae e'n byw yn Smitw. Wel, ar ôl cwpla'r gêm, fues i'n siarad ag e am sbel. Roedd e a 'nhad dipyn o ffrindie yn yr hen amser. Ac fe aeth i sôn am ei brofiad yn y rhyfel. Roedd e ar y môr medde fe —'minesweepers' ne' rywbeth. Wy'n cofio mynd lan i Hull unwaith, medde fe, i gwrdd â bad, ac ro'wn i'n gorfod aros mewn lodjins am ddou ddiwrnod cyn embarco. Wel diawl! Beth weles i man'ny ar y seidbord ond llun—bachan o'wn i'n nabod o'r cwm 'ma, Lewis Rawlins. A dyma fi'n gofyn i'r fenyw yn y lodjins Pwy yw'r bachan 'na 'te? O, medde'i, dyn neis iawn o South Wales, Mr. Rawlins. Mae e mynd i briodi 'merch i. Wel myn yffarn i! 'Allwn i ddim credu'r peth. Mae e'n briod yn barod, 'wedes i—yn South Wales, a ma' crotyn bach 'da fe! . . .*

Hull o bobman!

*Dyna ti* meddai Llwyd, fel arweinydd mewn amgueddfa,

*Mrs. Hester Johnson—'better known to the world under the name of Stella'.*

Wedi darllen y geiriau ar y mur aethom allan o'r eglwys ac i'r haul. Sylwais, wrth fynd heibio ac o bell, ar dŷ'r Deon, hen adeilad mawr a di-serch. Gallwn weld ffenestr y stydi, ffenestr y darllenswn amdani yn rhywle, ffenestr yr ystafell y bu'n rhaid i Swift fynd allan ohoni ar ryw noson ym 1728 am ei fod e'n medru gweld goleuadau yng nghorff yr eglwys, a gwybod mai claddu corff oer Stella yr oedden nhw. Ni allodd ef chwaith, mwy na minnau, fynd i'r angladd. Fe arhosodd yn y tŷ mawr digysur i ysgrifennu ei atgofion amdani yn blentyn, merch ifanc, a gwraig. Ond 'sgrifennodd e ddim yn y stydi; aeth o'r ystafell honno am fod y golau'n llewyrchu ar dywyllwch y ffenestr.

Pwy tybed oedd y wraig ddieithr honno a welwyd yn angladd fy nhad? Saesnes, meddwn nhw—eto, a golwg led oludog arni yn ei dillad galar. Yn ôl y stori a daenwyd dros y gymdogaeth gan gefnder fy nhad, y wraig ddieithr honno a dalodd am yr angladd. Rhaid bod ganddi feddwl mawr ohono. Fel yr un arall honno a ddaeth ataf ar ddiwedd darlleniad barddoniaeth yn rhywle.

*Roeddwn i'n adnabod eich tad yn dda* meddai wrthyf, ac awgrym, bychan yn unig ac annelwig fel cysgod, o rywioledd yn ei llais, *ac yn meddwl y byd ohono. Roeddwn i'n teimlo'n drist iawn pan glywes i am ei farw fe. Dwy'i ddim yn cofio pwy dd'wedodd wrtho'i . . .*

Gwraig arall mae'n siŵr, un o'r fyddin orchfygedig. Mor anodd oedd derbyn mai yr un oedd y casglwr merched hwn â'r cricedwr yn Llan-giwg, yr un dyn â garddwr Gŵyr, fy nghyfaill chwerthin i cyn dydd olaf y glwyd.

*Wel 'te, beth nesa? Slyms O'Casey?*

*Bwyd. Ac ar ôl cinio—anrhegion i'r teulu, rhywbeth nad oes angen i ti, yn dy ryddid sengl. feddwl amdano!*

Arafodd y meri-go-rownd, ac aros wrth gyntedd y Gresham. Roedd troedio'r carped trwchus fel cerdded cei wedi mordaith hir.

Ar ôl pymtheng mlynedd o gyd-fyw yn yr 'ystad anrhyd-eddus', chwedl y ffŵl du â'i law ar ei lyfr, fel ddylai gŵr wybod beth sy'n rhoi boddhad i'w wraig. Fe ddylai wybod ymhellach pa beth sy'n ddoeth a pha beth sy'n annoeth, yr amser cymeradwy i lefaru a'r amser i dewi, bod yn effro a bod yn fodlon gysglyd, pa bryd y dylai ddiflannu a pha bryd y dylai ailymddangos. Fe ddylai fod yn hyddysg yng ngwersi astrus diplomateg yr aelwyd. I ddyn felly, a ddysgodd yn drylwyr reolau elfennol ei alwedigaeth beryglus, nid yw prynu anrheg i'w wraig yn dasg anodd. Mae gan Gwen ei hoffterau, ac fel unrhyw ferch normal mae ganddi hefyd ei chasbethau. Erbyn, hyn diolch i'r drefn ac aml i gam gwag, fe ddysgais beth yw beth. Fe wna hynny fy mywyd innau yn haws o lawer nag eiddo'r gwŷr anffodus hynny na wyddan nhw ddim sut mae'r gwynt yn chwythu rhwng doe a heddiw ac yn dragywydd. Druan o'r Siôn nad yw'n adnabod ei Siân.

Yr addurnol yn hytrach na'r defnyddiol—hynny sydd orau ganddi ran amlaf; yr engrafiad cywrain o gastell ym Morgannwg, print lliwgar o helfa a'r ceffylau'n hir a main, darn o grochenwaith neu lestr gloyw, tlysyn da yr olwg i'w osod ar wisg, record, neu lyfr. Nid oes angen i mi ymboeni, ar wyliau o leiaf neu ymweliadau byr, â siop ddiflas ymarferol Thomas Morgan yr Ironmonger.

Nid oedd angen i mi fynd ymhell o'r gwesty cyn dod o hyd i siop y gallai Gwen yn hawdd wario ffortiwn fechan ynddi, y math o siop chwaethus sy'n arddangos ei nwyddau ar hambyrddau melfed du.

*Ga'i'ch helpu chi?* gofynnodd y wraig y tu ôl i'r cownter gwydr, gwraig raenus, ganol-oed, a'i gwallt brith wedi'i rwymo'n dynn a chymen mewn cwlwm ar ei gwegil lluniaidd.

*Fe garwn weld y tlws 'na sydd yn y ffenest—hwnnw sy'n debyg iawn i Dlws Tara.*

*Á phleser.* Gwenodd, a mynd at ddrws bychan a agorai i gefn y ffenestr. Fe ddaeth 'nôl at y cownter a gosod hambwrdd bychan o'm blaen.

*Hwn oeddech chi'n ei feddwl mae'n debyg* meddai, gan gyfeirio â'i bys at ddarn o addurn mewn metel a marmor Connemara.

*Mae'r dyluniad yma wedi'i batrymu'n fanwl iawn ar y tlws yr oeddech chi'n cyfeirio ato, Tlws Tara. Yr unig wahaniaeth yw'r cerrig gwyrdd 'na; mae'r rheiny'n ychwanegiad. Mae'n hynod ddeniadol, on'd ydy?*

*Ydy, mae e'n hardd iawn. Ga'i edrych arno'n fanylach?*

*Cewch, ar bob cyfri'*

O'r lluniau a welswn o'r tlws Celtaidd enwog, yr oedd un gwahaniaeth arall na soniasai gwraig y siop amdano. Roedd y cylch addurnedig a phen uchaf y tlws hwn yn debyg iawn i'r patrwm gwreiddiol, ond nid oedd y darn gwaelod, y darn cul fel llafn cleddyf, mor hir ag y dylasai fod. Ta waeth am hynny, nid prynu Tlws Tara yr oeddwn. Ac fe edrychai'n dda ar y wisg honno o frethyn brown golau a brynasai Gwen yn Rhydlewis beth amser yn ôl. Fe allai ddweud wrth gwrs nad oedd y peth yn addas, a'i wneud yn esgus dros gael dilledyn arall a fyddai'n gefndir mwy teilwng iddo! Heb feddwl rhagor, fe'i prynais.

Rhoddodd y wraig ddigonedd o bapur-sidan amdano cyn ei roi'n ofalus mewn pecyn bychan. Rhyfedd nad oedd ganddynt, mewn siop mor amlwg ddethol, rywbeth cadarnach na phapur tenau i bacio tlysau. Blwch bychan fyddai'r peth. Byddai'r gwrthrych yn ddiogelach mewn bocs, ac yn edrych yn werthfawrocach ac yn fwy deniadol wrth ei gyflwyno.

Telais amdano a'i roi'n saff yn fy mhoced. Diolchais i wraig hynaws y siop, a chamu allan o'r tawelwch hamddenol i sŵn traffig a phrysurdeb y stryd unwaith eto.

Roedd hi'n brynhawn braf a gwresog, ac roedd trafnidiaeth Stryd O'Connell yn drwchus a motlai gan fysiau, moduron, lorïau, beisiglau, ac amryliw deulu dyn. Dinas yn cadw gŵyl rhwng siop a chaffe a seddau gwyrdd yr hen a'r methedig (a'r

rhai sy'n fyr o'n breintiau yn ysbytai a charcharau a gwallgof-
dai'n gwlad) ar fin yr ynysoedd yng nghanol y ffordd.
Satwrnalia'r dref. Euthum yn un â'r dorf lawen, yn rhan o'r llif
araf, heibio i ogofeydd euraid y trysorau diderfyn a phalasau
crisial y teganau bregus. A bregus yw pob tegan yn nwylo Guto
a Siôn.

Nid gwaith hawdd fyddai prynu rhywbeth i fodloni'r
bechgyn. Mae Gwen yn tyngu fy mod wedi prynu popeth
iddynt yn barod, fy mod yn eu difetha nhw drwy ildio'n rhy
rwydd i'w cyfrwystra. Gwnaf fy ngorau i beidio, ond mor
anodd yw gwrthsefyll apêl llygaid mawr glas Siôn a thruenus-
rwydd ymbilgar Guto. Pethau i'w cofleidio a'u gwasgu'n galed
yw plant, creaduriaid anwes i'w maldodi a'u mwynhau, cyrff
llyfn a meddal i'n gwefreiddio â'u glendid. Mae Guto, yr hynaf,
erbyn hyn yn ddeg—fy oedran innau pan aeth fy nhad ymaith
am byth—ac mae e'n dechrau ymbellhau. Dyw cusan iddo fe
bellach ddim yn beth i'w gymeradwyo rhwng bachgen a'i dad.
Ond mae Siôn, sy'n chwech, yn dal i gredu nad oes bleser tebyg
i bum munud o'i fagu yng nghôl gynnes ei fam neu'i dad. Gwyn
ei fyd, a gwyn ein byd ninnau tra pery'r gred blentynnaidd
honno. Ond fe dyf yntau, fel ei frawd, i oedran gwrthod cusan
ac anwes.

Pan anwyd Guto, ryw flwyddyn ar ôl marw 'nhad, teimlwn
fy mod yn cael cyfle i feithrin perthynas newydd a fyddai'n fwy
cyfan na honno a brofaswn gyda'm tad fy hun. Fe ddaeth cyfle
ychwanegol pan anwyd Siôn. Mae bod yn dad i fechgyn yn
bwysig i mi, fel pe credwn fod arnaf gyfrifoldeb mwy na'r
cyffredin. Wrth geisio sicrhau na chaiff fy mechgyn innau hun-
llef yr ansicrwydd a gefais i yn fy mhlentyndod, yr wyf rywsut
wedi mynd yn dad i mi fy hun, wedi mabwysiadu plentyn
amddifad fy nhad, oblegid yn hapusrwydd fy mechgyn i fe gaiff
ei blentyn yntau yr hapusrwydd a gollodd yn gynnar. Yr wyf yn
dad ac yn fab yr un pryd.

Myfi sy'n dysgu'r bechgyn i fatio erbyn hyn. Ac nid darn o
bren di-siâp a phêl bapur anniben sydd gennym pan
chwaraewn ar y lawnt o flaen y tŷ. Mae gan Guto, sy'n fatiwr

llawdde, ddarn lluniaidd o helygen, ag enw Stuart Surridge yn glir ar y graen, i daro'r bêl ledr goch yn isel dros y glaswellt crop. Nid oes angen iddo godi'r bêl yn uchel dros redyn y mynydd i fôr y Mwmbwls.

Myfi sy'n dangos iddynt ble mae'r nythod erbyn hyn. Mae Siôn wrth ei fodd yn gwylied telor y cnau yn disgyn o dop y goeden aeafol yng nghefn y tŷ, o frigyn i frigyn, a'i ben yn gyntaf, at friwsion y ford bren. Fe ŵyr lle mae'n nythu mewn twll uchel yn un o goed yr allt, ac fe adwaen nodau main ei gerdd. Gall enwi'r troellwr a ddaw yn y gwyll 'i rwygo'r awyr â gorohïan', ac fe ŵyr fod coch y berllan yn cael blas ar y llwyni afans yng ngwaelod yr ardd.

Myfi, erbyn hyn, a ddywedodd wrth y naill a'r llall, wrth y ddau yn eu tro yn uchel ar f'ysgwyddau dan y sêr—"Cydia yn 'y ngwallt i, cydia'n sownd; paid â gollwng dy afael", a'u taflu'n un chwerthiniad hapus at y lloer. Myfi, erbyn hyn, sy'n caru fy mechgyn . . .

Yn ddiffwdan a dibetrus, penderfynais—Hwn i Guto, a hwnna i Siôn.

A chwdyn y teganau yn ddedwydd o dan fy mraich, euthum yn ôl i'r gwesty gan deimlo i mi gael bargeinion i'r tri a llawer iawn o bleser i mi fy hun.

Wrth ofyn am fy agoriad, estynnodd y ferch ifanc y tu ôl i'r ddesg ddarn o bapur i mi.

*Neges ffôn i chi* meddai. *Ryw hanner awr yn ôl.*

Edrychais ar y papur a'i ddarllen. Neges, yn Saesneg, oddi wrth Llwyd—*Mae e 'nôl, ac rwy'n aros i de. Dere draw tuag wyth o'r gloch. Cymer dacsi.* Ac yna, cyfeiriad cartref ei gyfaill.

Am chwarter i wyth canodd y ffôn yn fy ystafell.

*Mae'r tacsi'n barod i chi syr.*

*Iawn, diolch yn fawr.*

Cydiais yn y darn papur, neges Llwyd, a'i wthio'n frysiog i'm poced-frest. Dwy'i ddim yn medru dysgu cyfeiriadau ar fy nghof. Allan i'r coridor. 'Nôl i'r ystafell. Arian i dalu am y tacsi! Iawn. Nished lân? Damo, nac oes! Hancesi papur yn y drôr. Reit! Anrheg Gwen. 'Fydd e'n saff yn yr ystafell 'ma? Na fydd. Morwyn â dwylo blewog. Yn 'y mhoced, rhag ofn. Reit. Un edrychiad o gwmpas yr ystafell. Iawn. Allan i'r coridôr. Rwy'n siŵr 'mod i wedi anghofio rhywbeth. Ta waeth!

Wrth ddisgyn yn y lifft nid oeddwn yn siŵr fy mod yn awyddus iawn i fynd i le hollol ddieithr ac ymuno â chwmni anghyfarwydd i glebran yn neis-neis am y tywydd a chostau byw a chyflwr echrydus y byd. Doedd y parti dynion yn Kilkenny ddim yn ffôl, ar waethaf y Mulcahy gwallgo' hwnnw, ond ymweld â rhyw deulu bach sidêt . . . blydi niwsans! Llwyd a'i gleme! Huw Llywelyn—dyna'r enw. Wyddwn i ddim byd amdano, ar wahân i'r ffaith ei fod e'n cyd-oesi â Llwyd yn Aberystwyth ganrifoedd yn ôl, a'i fod e'n gyfreithiwr yn Nulyn. Yn ôl Llwyd, roedd e'n gywilyddus o gyfoethog, nid fel canlyniad i'w lafur dygn ei hun, ond yn sgîl llwyddiant masnachol ei dad fel perchennog cadwyn o siopau gwerthu popeth yng Nghaerdydd a chymoedd y de. Philistiad ariannog, fentra'i Y brîd gwaethaf posibl.

Rhoddais y cyfeiriad i yrrwr y tacsi melyn, ac eistedd yn frenhinol freintiedig yn sedd y cefn. Beth bynnag oedd yn fy nisgwyl yn nhŷ'r dieithryn, yr oeddwn, fel Cymro da, wedi gwisgo'n barchus ar ei gyfer. Bath persawrus a sebonllyd. Siafo'n llyfn, llyfn. Golchi 'ngwallt—siampŵ mewn gwirionedd. Brutio'r ceseiliau a'r mannau dirgel. Sgrwbio fy nannedd yn ddisglair. Crys glân a gweddus. Siwt deidi a socs cydnaws. Felly y dylai Cymro Anghydffurfiol ymddangos mewn lle dieithr—yn gydymffurfiwr cymen a pharchus.

Ymhen llai na phum munud, fe'm cefais fy hun, ar ôl talu gormod am siwrne mor fyr, yn sefyll o flaen tŷ Georgaidd hardd ac arno'r enw Cymraeg annisgwyl 'Yr Hoewal'. Doedd yr enw cellweirus hwnnw ddim yn rhan o'r cyfeiriad a gawswn gan Llwyd. Y rhif yn unig mae'n debyg a roddwyd i ferch y gwesty dros y ffôn.

Agorwyd y drws gan ddyn tal, barfog, iach yr olwg, a chryf. Gwisgai ddillad denim glas. Gwyddwn ar unwaith 'mod i wedi gwneud camgymeriad trychinebus. Teimlwn fel yr Arglwydd bychan Fauntleroy.

*John*? meddai, mewn cwestiwn a awgrymai fod y blydi peth yn amlwg. Gallwn glywed Llwyd yn ei baratoi—os gweli di rywbeth tebyg i bregethwr cynorthwyol yn sefyll yn llipa ar garreg y drws, Rawlins fydd e!

Fe'm cyflwynais fy hun; gwnaeth yntau yr un modd. Ysgwyd dwylo fel gwŷr bonheddig.

*Dewch drwodd i'r lolfa* hen air hyll *i chi gael cwrdd â'r cyfeillion. Mae'n feirdd drwy'r trwch 'ma heno!*

Hanner ffordd i fyny'r grisiau llydan eisteddai dyn ifanc hirwallt ac anniben a merch ifanc ddeniadol, yn edrych yn edmygus freuddwydiol i lygaid ei gilydd a sipian diod o lestri pridd.

Cydiodd Huw Llywelyn yn fy mraich, a dweud yn dawel gyfrinachol,

*Pat yw hwnna, Patrick Crofton, un o'n beirdd ifainc pwysicaf ni yn Nulyn ar hyn o bryd.*

Daeth yn nes, a sibrwd yn fy nghlust,

*Dwy'i ddim yn gwybod pwy ddiawl yw'r ferch sy' gydag e, ond mae'n uffernol o rywiol, ta pwy yw hi!*

Roedd fy nillad dydd Sul yn gwingo.

Fe'm tywysodd yn dadol drwy ddrws y 'lolfa' ac i ystafell fendigedig o eang lle roedd cwmni niferus o bobl, rhai'n eistedd, rhai'n sefyll, rhai'n yfed, rhai'n bwyta'n friwsionllyd oddi ar blatiau bychain, rhai'n sgwrsio, rhai'n gwrando'n fud, eraill yn chwerthin. Gwelwn Llwyd yn siarad gyda dwy wraig. Roedd y diawl yn ei ddillad hamddena. Y siwmper las honno, a'r llewpart bach gwyn yn brasgamu dros y frest. Cododd ei law a gwenu. Petai'n gyfaill o'r iawn ryw fe allai fod wedi ychwanegu un gair at y neges a ddanfonasai i'r Gresham—y gair allweddol 'anffurfiol'. Ond sylwn fod un neu ddau ymwelydd arall yn y cwmni wedi gwisgo'n lled gonfensiynol a gweddus, a sylwi ymhellach nad oedd hynny, hyd y gallwn farnu, wedi amharu dim ar eu mwynhad o'r *soirée* yn yr hoewal hwn o warineb.

*John, John Rawlins . . . cyfaill i Geraint . . . Cymro . . . bardd . . .* dyna dermau'r cyflwyno gan y gwesteiwr. Roedd yn amhosibl i mi gofio pwy oedd pwy a beth oeddynt—llenor, cyfreithiwr, actor, darlithydd. Roedden nhw yno i gyd, ac fel y dywedasai'r Llywelyn, yn feirdd drwy'r trwch.

Cyrhaeddais o'r diwedd y man lle safai Llwyd a'r ddwy wraig mewn cwlwm bach clos o ymddiddan. Agorodd y cwlwm fel blodeuyn egsotig yn yr haul.

*Gyrhaeddest ti 'te!* ebe'r llewpart bach gwyn.

*Gobeithio nad wyt ti ddim wedi bod yn dweud gormod o gelwyddau wrth y ddwy 'ma!* meddai Huw wrtho. *John, dyma 'ngwraig—Laura.*

Merch drawiadol o hardd, yn dal ac yn fain ond heb fod yn denau, gwallt du a llygaid tywyll, yn bymtheg ar hugain efallai.

*A chi yw John* meddai. *Rydw'i wedi clywed llawer amdanoch chi gan Geraint.*

Gwyddeles ydoedd, wedi dysgu Cymraeg pan oedd hi a'i gŵr yn byw yng Nghaerdydd. Trodd at y ferch arall.

*Fy chwaer fach i yw hon—Maria. Dydy Maria ddim yn siarad Cymraeg mae arnaf ofn.*

Roedd y chwaer yn iau o ryw flwyddyn neu ddwy, ac yn wahanol ei phryd i wraig y tŷ. Gwenodd yn swil a dangos rhes berffaith o ddannedd gwynion.

*Ga'i'ch rhybuddio chi* meddai Llwyd. *Peidiwch â mynd yn rhy agos ato. Fe wyddoch beth yw beirdd!*

155

Uffernol o ddoniol! Rhyw-faniac yng ngwisg y patriarch Methodistaidd.

*Be' gymri di i yfed, John?* gofynnodd Huw, gan ddangos yn yr unigol ehofndra'r dieithryn digywilydd sydd yn dymuno bod yn frawd i bawb.

*Gymra'i win coch os ca'i.*

Aeth i chwilio am wydraid o win, a chymerodd ei wraig at lywio'r sgwrs.

*Ydych chi'n mwynhau'ch gwyliau?*

Cwestiwn Wlpan myn yffarn i! Rydw'i yn mwynhau mynd i barti yn fy nillad gorau. Rydw'i yn hoffi cyfarfod cyfeillion newydd a diddorol. Rydw'i yn mynd i'r gwely am naw o'r gloch. Ydy hi'n bwrw glaw heddiw? Na, dydy hi ddim yn bwrw glaw heddiw, ond roedd hi yn bwrw glaw ddoe. A bydd hi'n piso lawr heno hefyd, cyn bo'r nos wedi dod i ben, cyn bo'r nos, o la la . . . Ac ati . . . A oes ci o dan y ford?

*Ydw'n iawn, diolch yn fawr.*

*Mae Geraint yn dweud eich bod yn ysgrifennu nofel.*

*Mi ddylwn fod yn ysgrifennu nofel!*

*Pa fath o nofel yw hi?* Cwestiwn Maria â'r gwallt melyn.

Nofel am ocsiwnêr o Gymro sy'n byw gydag Iddewes nymffomanig mewn cibwts ar Ynys Enlli, ac sy'n darganfod, wrth ysgrifennu rhagymadrodd i'w gyfieithiad o'r *Kama Sutra* i Gymraeg Byw, nad oes yn y Geiriadur Mawr nac yn y Geiriadur Termau air Cymraeg am *orgasm,* ond bod y gair yn digwydd yn yr unfed argraffiad ar ddeg o eiriadur yr annwyl Bodvan . . .

*Nofel ysgafn iawn yw hi, am weinidog ifanc sy'n troi'n actor proffesiynol.*

*Dyma 'ti, y claret gorau yn Nulyn.*

*Diolch.*

Roedd yn dda genn'i gael cyfle i roi 'mhen o'r golwg yn y gwydr, ac edrych allan drwy gochni'r gwin ar lwyfan barablus a chymysgliw'r ystafell.

*Esgusodwch fi am funud* meddai Laura. *Rydw'i am gael gair gyda Helen Southgate ynglŷn â'r llenni newydd sydd ganddi yn ei chegin.*

*Maria, bydd yn gariad . . . Cer' â John drwodd at y bwyd tra*
*'mod i'n dangos darluniau Chris i Geraint.*

Nid oedd angen bwyd arnaf,'ond roeddwn yn barod i newid
ystafell er mwyn symud fy anghysur.

*Dwy'i ddim yn meddwl bod eisiau dim arna'i i fwyta, a*
chymryd, yr un pryd, y plât o law Maria.

*Mae'n rhaid i chi gymryd rhywbeth.*

*Mi gymra'i ychydig o'r caws 'ma.*

Ar ganol llawr yr ystafell-fwyta roedd bord hir ac arni wledd
o ddanteithion, fel petai Rhys o'r Tywyn ei hun wedi bod wrthi.
Ac o feddwl am yr hen Nanmor, doedd y ferch a safai yn fy
ymyl ddim yn annhebyg ei lliw i'r 'Llio eurwallt, lliw arian'
honno a fu'n ymhel ag awen y bardd.

*Rwy'n meddwl y gallai'i fentro cymryd darn bach, bach o'r*
*samwn 'ma heb ofidio gormod am frwydr y fodfedd.*

Ni allwn innau weld bod angen iddi ofidio am y frwydr
honno o gwbl. Fel ei chwaer, roedd hi'n dal a gosgeiddig, ond
doedd hi ddim mor sicr ohoni'i hun ag oedd Laura. Roedd hi'n
fwynach rywsut, ac yn feddalach ei natur. Diau fod a wnelo'r
llygaid mawr brown â'r argraff honno. Roedd llygaid ei
chwaer, am eu bod nhw mor dywyll, yn awgrymu y gallai
honno fod yn fileinig ei thymer pe codai'i gwrych.

*Ydych chi'n byw yma yn Nulyn?*

*Na, yn Sligo dwy'i'n byw, yng ngwlad Yeats. Mae gennym*
*fwthyn bach yn wynebu Bae Drumcliffe, lle hyfryd o dawel*
*rhwng Benbulben a'r môr. Arlunydd yw Chris—'y ngŵr i—ac*
*ar hyn o bryd yr unig beth sy'n bwysig iddo yw haul a lleuad a*
*mellt ar y môr. Mae'n gas ganddo feddwl am ruthr bywyd*
*mewn dinas, ond rwyf innau'n hoffi dod i Ddulyn ambell*
*waith. I weld y siopau yn fwy na dim, ac i weld Laura wrth*
*gwrs.*

Gan fod y caws yn eitha blasus, torrais ddarn arall, a
chymryd rhai o'r bisgedi sych. Roedd y samwn yn demtasiwn
erbyn hyn.

*Fe fu Huw yn aros gyda ni am ychydig ddyddiau—roedd e*
*am brynu rhai o gynfasau Chris i'w gyfeillion—a phan ddaeth e*
*'nôl y bore 'ma, mi ddes i gydag e. Mi â'i adre ddydd Llun mae'n*

*debyg. Gymrwch chi ragor o win?*
*Os gwelwch yn dda.*

Gosododd ei phlât ar ymyl y bwrdd, a chymryd fy ngwydr gwag. Aeth at fwrdd arall lle roedd dewis helaeth o wirodydd a gwinoedd.

Ystafell i ymweld â hi oedd hon, nid ystafell i aros ynddi. Roedden nhw wedi symud pob cadair allan i hwyluso'r ffordd at y bwydydd. Dod i mewn â phlât gwag, siarad yn glywadwy ganmoliaethus am ansawdd y coginio, y pobi, a'r gosodiad artistig, dewis rhywbeth, llenwi'r plât, ail-lenwi'r gwydr, a dychwelyd i'r lolfa neu ryw fan cyfleus arall i falu awyr. Tra roedd Maria yn arllwys y gwin, daeth Patrick Crofton i chwilio am rywbeth i'w gynnal. Ynghlwm wrtho, fel eiddew ar foncyff, oedd y ferch 'uffernol o rywiol'. Roedd golwg bell ar y ddau, fel petaen nhw wedi penderfynu, cyn brecwast, ar ddiwrnod hir o ddiota diegwyl, a llwyddo yn eu bwriad. Roedd eu gwydrau'n sownd annatod wrth eu dwylo. Nid oedd gan y naill na'r llall blât, ond doedd hynny ddim yn broblem. Y peth pwysig ar y funud oedd cydio yn rhywbeth a'i fwyta. Gwastraff amser oedd ei osod ar blât. Fe aeth y ddau ati, ar eu sefyll, i stwffio'u cegau a briwsioni'r carped o dan eu traed.

*Hylo Maria* meddai'r bardd, a rhyw hanner bwldagu yr un pryd ar ddau neu dri 'Canapes au Fromages'. *Shwd ma Chris?*

*Iawn diolch, Pat.* Estynnodd Maria'r gwin i mi. *A tithau?*

*O.K. cariad* a gwasgu'r ferch yn dynn ato'i hun. Chwinciodd fel eliffant. *O.K. Parti da!*

*Rwy'n falch dy fod ti'n mwynhau.*

Trodd Maria ei chefn at y ddau, a dweud yn dawel
*Alla'i ddim goddef y boi 'na!*

*Roedd Huw yn dweud wrtho'i gynnau taw fe yw'r bardd pwysig ar hyn o bryd.*

*Mae'r sawl sy'n deall yn dweud hynny. Dwy'i ddim yn hoffi'i waith e. Yn 'y marn, dyw'r diawl yn ddim byd ond charlatan a chanddo gyfeillion rhy garedig.*

Dechreuodd Crofton glodfori'n llafar, ac yn uchel iawn, haelioni tywysogaidd Huw Llywelyn.

*Mae Huw yn foi da . . . yn gyfaill cywir . . . bob amser yn barod i dywallt ei fendithion ar feirdd tlawd a llygod eglwys . . . Dwyt ti ddim yn cytuno, Morag, fy mreuddwyd bersawrus?*

*Mmm* meddai'r freuddwyd, drwy gegaid o salami a letys.

*Dyw e ddim yn wir be' maen nhw'n ddweud am Taffy—Taffy was a Welshman, Taffy was a thief—dyw e ddim yn wir o gwbl. 'Ti'n mo'yn diod?*

*Mmm* atebodd Morag eto yn unsillafog huawdl.

*Reit . . . diod i dduwies wen fy ngwely.*

Camodd yn ffwndrus aflêr i ganol y poteli i chwilio am ryw drwyth rhiniol a allai gadw corn gwddwg ei Beatrice yn ddedwydd wlyb.

*Mae'n bryd i ni fynd i rywle arall* awgrymodd Maria. *Dwy'i ddim yn or-hoff o gwmni dethol y lolfa; beth amdanoch chi?*

*Dwy'i ddim yn dwlu arnyn nhw chwaith, a bod yn onest. Mae arna'i ofn nad wy'i ddim yn hapus iawn mewn partïon fel yma!*

*Beth am fynd i'r gegin 'te?*

*Iawn.*

*Fe gawn lonydd yn y man'ny, ac mi wn i fod yno lond cwpwrdd o win!*

Ac yn y gegin y buo'ni, yn clebran am awr, awr a hanner, dwyawr, ac yn yfed gwin. 'Chawso'ni ddim llonydd ar hyd yr amser. O bryd i'w gilydd deuai ambell ben i'r golwg o'r tu ôl i'r drws, edrych o gwmpas, ymddiheuro, a diflannu. Roedd hi'n amlwg fod yno gryn dipyn o symud o gwmpas erbyn hyn; pobl wedi blino ar siarad ac yn dymuno newid aer, newid golygfa, gorwedd.

Roedd hi'n hanner awr wedi un ar ddeg wrth gloc y gegin pan ddaeth Llwyd a Laura, law yn llaw, i chwilio am rywbeth.

*Man hyn wyt ti'r diawl! Be' ti'n 'neud?*

*Golchi llestri!*

*Dere Geraint*—yn Saesneg y tro 'ma, er mawr siom i Wlpan y saint, a chan dynnu'r llewpart bach gwyn gerfydd ei gynffon—*dere i weld y ciwpid bach pert mae Huw wedi'i osod ar y lawnt.*

Cyn iddynt fynd o'r ystafell, fe ddaeth Huw, a'r awgrym lleiaf o brinder anadl yn llechu o dan y denim glas, a dweud wrth Llwyd, gan faglu'n goch dros ei eiriau

*Edrych ar ôl Laura 'nei di.* Doedd Laura ei hun ddim yn cymryd dim sylw. *Fydda'i yn y stydi . . . mae Morag . . . wy'n meddwl mai dyna'i henw hi . . . mae am weld y lluniau 'na . . . lluniau Chris . . . a mae e, Crofton, yn cysgu fel mochyn ar lawr y bathrwm . . . mae e bob amser 'run fath . . . Edrychi di ar ôl Laura 'te, 'nei di . . .*

Ac aeth i ddangos y lluniau i Morag. Aeth Llwyd i astudio'r ciwpid ar laswellt gwlithog y lawnt.

*Rhagor o win?* cynigiais, a theimlo'r un math o ddiffyg anadl ag a deimlwyd gan Huw ar ei ffordd i'r stydi.

*Un bach arall 'te* atebodd y Llio eurwallt, lliw arian.

Roedd pob diferyn o win coch erbyn hyn yn troi'n gynhesrwydd braf, cynhesrwydd y rhyddid sy ar draethau gwynion y pellterau unig lle nad oes neb yn cerdded dan yr haul, lle nad oes neb yn taro ar symud araf y cyrff noeth ar erchwyn y llanw yn sŵn toriadau ewynnog y môr lle mae'r pysgod aur yn saethu fel nodwyddau disglair y tân dwfn o dan y don. Blas y coch cynnes ar gnawd meddal y cusanau, y diferion o winllan yr haul ar lethrau y tafod ac ar wynder y dannedd cadarn.

*Mae'n rhaid i mi fynd i'r bathrwm.*

*Mi ddangosa'i'r ffordd i chi.*

Grisiau llydan. Crofton wedi mynd, y bardd trwm . . . ger y ffos ddu'n gorffwyso . . . a Morag, y freuddwyd bersawrus, uffernol o rywiol, yn edrych ar lun yr haul, a'r lleuad, a'r mellt ar y môr . . . llun Chris . . . druan o Chris yn ei fwthyn gwyn . . . a'i wraig yn fy llaw ar y grisiau hyn . . . fy ngeneth oleubleth lon . . . nage, nid honno, un farw oedd honno . . . mae hon yn fyw . . . yn fyw o wlad Yeats . . .

*I would that we were, my beloved . . .* methu â chofio rhagor. *. . . white birds on the foam of the sea.* Diolch Llio yn dy wallt melyn.

*Rwy'n dwlu ar Yeats* meddai. *Dyna'r bathrwm. Mi arhosa'i yn f'ystafell. Y drws pella 'na. Paid â bod yn rhy hir.*

160

Yffarn mae 'mhen i'n curo! Tabyrddau'r Babongo! Wel diawl! Edrych ar hwn. *Patrick, Paddy fy mab, be' 'nei di fan hyn? Gad i mi gael camu drosot ti, camu dros fardd pwysica Dulyn, at badell wen yr ymollwng gogoneddus.* Dyna welliant. Dy ben dan y tap dŵr oer . . . Tywel, tywel, tywel! Dere gloi! *Wel 'te Pat bach, I will arise and go now, and go to Innisfree. Hwyl i ti. Gobeithio enilli di'r Gader myn yffarn i!* Pa ddrws? Yr un pella na. Gan bwyll nawr Rawlins. Sobra . . . Paid â gwylltu . . .

*Mae gennym ddigon o amser on'd oes* . . . y llais o'r croen llyfn, y llais mwyn, y llygaid brown, y dyfnder meddal, a chnawd hufen y corff.

*Oes, digon o amser* . . . digon o amser i adnabod a deall y synhwyrau cyffrous sydd yn ein troi ar gylch yr ysgwyddau a'r gyddfau a lluniaidd amlinell y cefn, y synhwyrau a bair i ni ymestyn yn gryf, yn hyderus ddigywilydd o gadarn, a bair i ni ymagor yn foethus oludog ar led gwyn y sidan.

. . . *digon o amser* . . . i roi llaw ar law, bysedd a chymalau yn cloi yn eithaf hollt yr esgyrn, troed wrth droed ym mhedwar pwynt y gwastadedd o wely esmwyth, ymffurfiadau anesmwyth aflonydd yng ngwefr ac yn ias y cyffwrdd ysgafn, ysgafnder braiddgyffwrdd y gwefusau ar flagur y llawnder o fynwes . . . digon o amser i fesur . . . i fesur amser, i fesur anadliadau yr ymnadreddu hwn yng nghlwlwm morddwydydd, anadliadau llithro gofalus ac araf y bysedd ar hyd ystlysau.

. . . y darganfod greddfol, a'r ymgynhesu cyfan, cyflawn yng ngwaelod y corff, y gafael sicr a chlos, maneg.

. . . *digon o amser* . . . yr aros, y llonyddwch pryfoclyd . . . a'r cwestiwn yn nhawelwch y cnawd . . . pa bryd . . pa bryd y symud araf . . . a'r twyll gwallgof yn ymchwydd ymwthiad y gwaed . . . pa bryd . . . a'r llithriad hir o ddyfnder y ddaear at ymyl yr haul . . . a'r ail-ymorffwys rhwng sŵn ein hanadliadau.

*Faint o amser?*

*Dyw amser ddim yn bod.*

. . . ac i'r gwallgofi graddol, ar dyfiant ymchwydd y nwydau sy'n goch yng ngwythiennau'r anifail yn fy mêr, gorffwylledd y fflamau tân yn storom ynfyd y cwlwm hwn o gyrff gwyllt, gwewyr yr ymboenydio, y gwanu pell pell, yr ymestyn amhosibl i bellter y pen-draw nad yw yn bod, y dringo'n uwch ac uwch, ymhellach ac yn uwch, ymhellach o'r byd nad yw yn bod. Does dim yn bod ond gorlif y cyneddfau o gnawd porffor y cryfder hwn . . .

. . . *nawr . . . nawr!* . . . a'r cryfder yn dadfeilio yn nhrochion y storm yn y môr berw, môr y tonnau sy'n codi a gostwng, a gostwng yn is ym mwynder y machlud a marw llyfn yr haul ar wastatrwydd gorwel y byd llonydd.

Merch esmwyth yn cysgu mewn ystafell dawel. Ac mae'r môr ymhell, y tu draw i orffennol afreal y machlud. Y môr, ac ewyn y tonnau. Beth oedd diwedd y llinell honno? Roedd hi'n gwybod y gerdd.

. . . *white birds on the foam of the sea.*

Gwylanod y môr. Yr wylan wen ar ganllaw y bad. Daeth ataf o bell i wenu, gwên yr wylan ar ysgwydd yr hwren. Y tad a'r mab yn y gwely hwn. Dos ymaith wylan, allan o'm gwallt. Wrth gwrs 'mod i'n caru Gwen. Does a wnelo hynny ddim byd â'r peth. Guto? Siôn? Nid yr un yw serch y morddwydydd a'r dyfnder o ystyr sy'n clymu dyn wrth ei blentyn. Does a wnelo'r bechgyn ddim â'r carthenni hyn, y ffolineb hwn, yr haul a fu farw yn ewyn y môr. Ac mae'r wylan yn gwenu, yn gwenu o hyd.


Deuthum o hyd i Llwyd yn y gegin, yn yfed coffi gyda Huw.

*Croeso 'nôl, fab afradlon. 'Gest ti hwyl ar y cibau?*

*Beth yw hi o'r gloch?*

*Chwarter wedi dau.*

*Rhaid 'mod i wedi cysgu.*

*Synnwn i fawr! Wyt ti'n barod am goffi.*

*Na, dwy'i'n iawn diolch.*

*Pam na chysgwch chi yma; mae 'no ddigoi o le.*

*Paid â phoeni Huw bach. Fyddwn ni'n ôl yn y Gresham mewn llai na deng munud.*

Ymhen hanner awr, roeddwn yng ngwely bach glân y

gwesty, a'm pen ar fy ngobennydd fy hun—yn dawel ddi-gur,
yn esmwyth, ac yn llawn o Yeats.

Dadbacio ac ailbacio. Dyna, yn ffigurol, yw'n hanes ni—'o gri ein geni hyd ein holaf gŵyn'. Llenwi'r bag, ei wacáu, a'i lenwi drachefn. Ond nid syniad haniaethol yn nirgel leoedd yr ymennydd, nid simbol yn y meddwl mohono'r bore 'ma. Yfflon o job diflas ydyw, real a diriaethol. Mae yno rai sy'n gwneud hyn o hyd ac o hyd, beunydd beunos, wythnos ar ôl wythnos, o flwyddyn i flwyddyn ac o gylch y byd yn grwn. Gweld y tymhorau'n newid yn ffenestri'r tai dieithr a thrwy wydrau estron. Druan o berfformiwr y sioe unnos, y gwerthwr peripatetig yn ei fflach o fodur a'i gês *attaché,* a gyrrwr y lori bell sy'n cysgu'n ei gaban rhwng Dover, Paris, a Trieste. Byw mewn bag. Uffern o fyw. Mae llwytho carafan cyn cychwyn, a'i ddadlwytho wedi dychwelyd, yn ddigon i'r rhan fwyaf ohonom, a hynny unwaith neu ddwy neu dair mewn blwyddyn. Dyw symud o westy i westy, pedwar neu bump ohonynt mewn wythnos, ddim yn bleser i gyd, pa mor foethus bynnag y bo'r carped i dan draed a'r bwyd ar dafod. Tynnu'r dillad a'r trugareddau y mae'n rhaid wrthyn nhw ar daith o glydwch clos y bagiau lledr, eu hongian mewn cwpwrdd, eu gosod mewn drôr, eu cadw'n gymen ac yn eu plyg, eu gwisgo, eu defnyddio, eu rhoi yn ôl drachefn, yn gymen ac yn eu plyg, i glydwch clos y bagiau lledr. Rosslare, Cappoquin, Kilkenny, Dulyn, a bellach, yn ôl i Rosslare. Yr unig beth a gafodd lonydd perffaith ar y daith hon, o'r dechrau hyd y diwedd, yw'r peth hwn a oedd yn rhyw fath o esgus dros ddod 'ma yn y lle cynta—y pecyn papurach yng ngwaelod y bag, y peth ddylai fod, ryw ddiwrnod, yn gyfrol fach hylaw rhwng cloriau caled— y nofel ddarllenadwy na ddarllenir mohoni gan neb ond ambell adolygydd dwybunt a phregethwr yn chwilio pregeth. Cael llonydd fydd ei hanes hi am byth mae'n debyg—o waelod y bag hwn i'w bedd ar silff uchaf y llyfrgelloedd sir. Ond o leiaf fe gaf freindal am fy llafur, ac fe ddylai'r swn anhygoel hwnn w dalu bil y ffôn am un chwarter os nad dau.

Yeats—i mewn â thi i orwedd yn fflat rhwng fy ngwaith anorffenedig i a throed chwith Christy Brown. 'Glywaist ti dy eiriau neithiwr? 'White birds on the foam of the sea'. Diolch i ti am dy help i fyny'r grisiau. Am fod yn ganllaw ar y ffordd, yn llinell gyfamserol, yn ddyfyniad hwylus. Gorffwys am ychydig ddyddiau; cei ddeffro yn y cwm.

A thithau, fardd crymwythog dy fam, a'th lofnod plentyn-naidd, traed inc y brain, ar glawr dy gerddi, cei dithau ddod i'r cwm a thrigo lle mae plant yn canu dan fy nhraed ac yn fy mhen. Rwyf yn cwyno'n aml nad wyf yn cael llonydd i wneud fy ngwaith. Sŵn normal ac annioddefol y tŷ—teledu, peiriant golchi, cwerylon plant, yr hwfer tragwyddol ei dreigl o stafell i stafell, y gweiddi croch ar y ci ac ar y gath, ffôn ac awyren a lori-lo. Hiraethaf am gaban pren ar drothwy y nef. Ond beth pe bawn i'n gorfod gwasgu pob gair, fel rwyt tithau'n gwneud, drwy flaen fy nhroed i fotymau'r teipiadur?

Llyfrau—beth wnawn i hebddyn nhw? Y geiriau ar bapur, y cerddi aneirif a luniwyd dros y cenedlaethau, storïau, nofelau, dramâu, y miloedd cyfrolau sydd gennyf ar hyd a lled y tŷ, ar y llofft, yn y garej, o dan drawstiau'r to, yr awduron sy'n nythu fel gwenoliaid dan y bondo. Arnyn nhw yr wyf yn byw—yn yr ystafell ddarlithio, ar ford y gegin, ar drên a bwrdd llong, mewn gwely ac ar wyliau—ymhobman, y geiriau ar bapur, grymusach na chleddyfau, mwy damniol na dwrn. Beth wnawn i hebddyn nhw?

Byw, mae'n debyg, ar gynnwys y cwdyn hwn, sach bychan y sebon a'r clwtyn ymolch. Brws dannedd, past, yr ellyn trydan, *aerosol* y peraroglau, a phowdwr y llygru rhwng bysedd y traed. Cwdyn y gwyrthiau toiledol sy'n pereiddio'r baw a melysu anadliadau'r corff. Ond mae 'no bethau na ellir mo'u melysu. Ni all holl bersawr Arabia felysu'r llaw fach hon. Y geiriau ar bapur eto; ni allaf ddianc rhagddynt mwy nag y gallai Thompson rhag yr helgi dwyfol, dianc 'down the nights', ac meddai Christy Brown, o'i glydwch yn y bag, 'down all the days', a minnau, rhag y geiriau. 'the labyrinthine ways of my own mind'. Mae dyn yn drysu gan eiriau, yn gwallgofi rhwng sillafau brawddeg. Ond rwy'n hoffi'r 'Helgi'.

> *I fled Him, down the arches of the years;*
> *I fled Him, down the labyrinthine ways*
> *    Of my own mind, and in the mist of tears*
> *I hid from Him . . .*

Nid Ef chwaith, yr Efe yn yr adnod hon. Yr ef arall, y ddau ef yn y dyddiau pell. *Os gweli di fe, cofia di groesi'r hewl!* Ef y morwr a'i gap fflat, ef yr enw ar lyfr y bedydd. A'r ef arall, *fe a'i fen'wod!* Yr ef yr ymguddiais rhagddo yn niwl y dagrau ar biler y glwyd. Yr ef a welais neithiwr yn cnodio merch a charu ei feibion, yn rhwygo'i chnawd a charu ei wraig. Ei weld yn noethni'r amhosibl real.

Fe awn, petai'r angladd yfory, i wylied ei losgi'n lân yn emyn y fflam. Ac wylo ar ei ôl. Nid oes angen i mi ymguddio mwy, na chroesi'r hewl.

Y llyfrau, y cwdyn trugareddau, crysau a 'sgidiau, dilladach a phethau, anrhegion y bois i fynd i'r bŵt, a'r siwt dydd Sul—y siwt a daflwyd neithiwr, fel anniben fentyll Llwyd, yn ddarnau gwasgar mewn ystafell-wely. Mae heddiw'n gymen ac yn ei phlyg. Ac o'i phoced y pecyn. Y Tlws Tara i Gwen.

Rhywbeth arall? Dim am wn i. Chwilio'r cypyrddau. Ysgerbwd? Dim un. Pob drôr yn agor yn hawdd ddiffwdan a llyfn. O'u mewn—dim. Dim y gwacter ofnadwy sydd yn y llinell 'Ni bydd dim ar ôl ond lle buom ni'. A dyna'r geiriau eto'n disgyn i'r adwy. Rhyfedd fel y daw acenion cerddi i lanw'r bwlch rhwng dau feddwl. Bu Parry-Williams yn troi a thrafod ar fy ngobennydd y bore 'ma, yn fy neffro rywsut i'r dydd newydd hwn. Ni wn paham y dylai 'Chicago' fy nghyffroi yma yn Nulyn—a'r geiriau mor glir yn canu ynof—

> *Myfi yn Chicago yn gymysg fy mryd,*
> *Efô nid yw yma nac yn y byd.*

*Ond efallai i mi wrth roddi tro*
*Droedio rhyw fan lle bu'i gamre 'fo,*

*Ac felly asio rhyw ddolen hud*
*Oedd yn disgwyl i'w deupen ddyfod ynghyd.*

Wrth gwrs 'mod i'n deall paham. Deall yn iawn.
　Wel, dyna ni! Diwedd ar y pacio. Ble mae Llwyd arni tybed?

　Pan euthum i edrych amdano, roedd e'n tynnu'r zip olaf i'w derfyn.
　*Beth am yr hosan 'na dan y ford? Ti pia honna?*
　*O damo!*
　Ac fe'i stwffiodd i boced ei drowsus.
　Hwyl i ti Joyce yng nghegin Mulligan. Hwyl Johnny Rawlins yng nghwpwrdd yr achau. Hwyl i'r Deon yn ffenest y stydi. Hwyl i'r bardd cwsg ar lawr y tŷ-bach.
　A hwyl i ti, Maria, yng ngwely dy sidan.

Fe benderfynsom ni yn Rosslare beidio â mynd am dro i Wexford gyda'r hwyr, er ein bod yn teimlo mai braf fyddai mynd eto i dafarn Mic O'Leary a chael bod y tenor wedi dysgu ei wers, ac yn cynnig i'w gynulleidfa yn y mwg ddatganiad o benillion telyn persain. Ond rhag ein siomi yng nghaban gwlyb y cnau mwnci a'r creision, fe gawsom bryd o fwyd, ac yna—a ninnau wedi dychwelyd at agosrwydd y gwelyau sengl mewn un ystafell—sgwrs, a llyfr mewn gwely cynnar. I wŷr canol-oed ar sgawt mae ambell noson felly yn angenrheidiol.

Codi am saith, brecwast am chwarter i wyth, hwylio am naw. Yr un llong, am wn i, ond nid yr un llwyth o bobl. Yr un môr, ond nid yr un dŵr. Yr un haul, ond nid yr un gwres. Yr un enwau, Lloyd a Rawlins, ond wythnos yn hŷn, ac wythnos yn gallach neu'n ffolach. Yr un llyfr yn agored ar arffed Llwyd, ond nid yr un tudalennau. Yr un ymennydd yn fy mhen, ond nid yr un meddyliau.

Eistedd a cherdded ar y dŵr, edrych a gweld, yfed diodyn yn y bar, gwrando a chlywed, cerdded ac eistedd ar y dŵr, siarad, darllen, meddwl, cysgu, deffro, meddwl, siarad . . . a Chymru, bob eiliad, bob diferyn, yn dod yn nes, yn codi'n raddol o linell dywyll, anwastad, ar y gorwel. A'r bad yn canu grwndi ac yn crynu oddi tanom.

Aeth Llwyd i brynu cwpaned o de a rhywbeth i'w gnoi, ac euthum innau i flaen y bad a phwyso ar bren glân y canllaw i wylied amlinell y wlad ym mhen y daith.

Mae pob dychwelyd, pob agosáu o bellter, yn ymgynhesiad yn y gwaed, yn wres yng nghelloedd y cnawd, a hynny hyd yn oed yn y mwyaf diramant ei anian—ar wahân i Llwyd efallai sydd wedi dychwelyd mor aml ac wedi cyfarwyddo â'r profiad. Pwy oedd y gwleidydd Sosialaidd di-wefr a difreuddwyd hwnnw a ddaliai'n ffyrnig ystyfnig wrth ddelio â chenedlaetholwyr brwd nad oedd y fath beth â *patria*'n bod? Nid oes,

168

meddai mewn llythyr ac araith ac yn ei gwsg ar faner goch, ond *terra*. Y ffŵl gwirion! Oni theimlai, ar waethaf ei wiriondeb, ryw gynhesrwydd braf pan ddychwelai o ganol mireinder coeth San Steffan i'strydoedd celyd diaddurn y cwm glo a'i magodd? Oni wyddai am brofiad 'yr ias a gerdd drwy'n cnawd' wrth ddod yn nes at olwg y cynefin a'r 'wyneb brawd' sydd ym mhatrwm cyfarwydd y pridd? Rhaid bod y truan, pa mor 'styfnig bynnag ydoedd, yn gwybod am y profiad hwnnw. Fe ddaw i mi pan ddychwelaf i'm cwm innau, ac nid oes a wnelo prydferthwch natur neu geinder golygfa â'r ias honno, oblegid dod 'nôl yr wyf bob amser i gwm y gamlas leidiog lle bu llygod boliog y bardd yn ymbesgi'n fwystfilaidd ar gyrff afiach cynrhonllyd ein creaduriaid anwes. Ac, o feddwl, gallaf nodi'r union fan lle daw'r cynhesrwydd ataf yn ei lawnder.

Mae sawl ffordd yn arwain i'r cwm, ffyrdd amryfal o bedwar pwynt y cwmpawd, ond i mi nid oes ond un a rydd foddhad y gwefr cyflawn, a honno yw'r ffordd ogleddol o Bowys ac Aberhonddu. Daw'r cyffyrddiad cyntaf wrth sylwi ar enw lle, a throi ym Mhontsenni i gyfeiriad Morgannwg. Ac yna'r dechrau cyflymu drwy fwynder cysglyd Defynnog, heibio i ddisgleirdeb y dŵr yng Nghrai, ac i'r bwlch dan Fan Gihirych. Yn y bwlch hwnnw bob amser y caf y teimlad fy mod ar fin y cyrraedd, ac ychydig yn is, yn y pant rhwng llethrau tyllog Craig y Nos ac unigrwydd caregog Penwyllt, mae'r ffordd yn mynd yn un â'm traed wrth afon y milltiroedd cynefin.

Dod 'nôl i gwm, 'nôl i sir, 'nôl i wlad; yr un yw'r ias. A gorau po fwyaf graddol yr agosáu. Melltithiaf, unwaith eto, yr awyren anwar sy'n cyrraedd pob man yn rhy sydyn, sy'n glanio—fel trên y dychymyg yn Eryri—yn rhy gyflym a dibaratoad, fel y llewpart 'a naid yn sydyn slei' cyn pryd, fel y cnodiwr trachwantus hurt sy'n treisio'r harddwch y dylid ei fwynhau yn hwy. Canmolaf y bad a ddaw, fel carwr gofalus a phwyllog, yn esmwyth i hafan y penrhynion. Y pwyll gwâr a rydd gyflawnder i'r gwefr.

Tyfai'r tir yn araf ar y gorwel, symud yn nes ond heb ymddangos felly, ac ymfanylu fel yr unlliw annelwig a ddaw yn glir wrth gymhwyso gwydr sbienddrych. Yn raddol fel tymor, newidiai'r llwydni pell ei liw a mynd yn borffor rhwng hafnau clogwyn, yn lesni ar faes llechwedd, yn felynder ar dywod traeth. Penfro, Dyfed, Cymru . . .

Rhamantu felly yr oeddwn wrth ganllaw y bad pan ddaeth Llwyd yn ôl o gownter y brechdanau a'r te a chwythu ymaith ar unwaith yr ymyl euraid oddi ar y cwmwl glân o ffansi.

*Rawlins, mae genn'i newydd da i ti—mae gwylan wedi cachu ar d'ysgwydd di!*

Edrychais, a gweld drwy gil fy llygad fudreddi aderyn yn staen newydd ar fy ysgwydd.

*Gwylan fach o Aberystwyth!*

*Chware teg iddi* meddwn, *am fy newis i. Fe ddaw â lwc i mi, a bydd angen dogn sylweddol o hwnnw arna'i pan gyrhaeddwn ni ben y daith.*

Tynnais hances bapur o'm poced, a cheisio codi'r hen fusnes yn lân oddi arnaf cyn ei daflu 'mhell i eigion y môr.

*Pan fydd Gwen yn gofyn y cwestiwn tyngedfennol 'na—Faint o ysgrifennu wnest ti?—bydd eisie tipyn o lwc arna'i i'w thwyllo.*

*D'wed ti wrthi fod 'no rywbeth sydd lawn bwysiced ag ysgrifennu, os nad pwysicach—y meddwl cyn rhoi'r geiriau ar y papur, a gwna di'r peth yn ddigon clir iddi—mi feddyliaist ti lawer iawn, meddwl o hyd ac o hyd!*

*Dyw Gwen ddim yn llyncu pethau mor rhwydd â hynny* a rhwbio'r marc yn galed ond yn aflwyddiannus.

Cynigiodd i mi sigarèt o becyn llawn.

*Diolch.*

A thân mewn cwpan o ddwylo rhag awel y môr.

*D'wed un peth wrtho'i 'te. Beth oedd y pwynt o fynd? Os taw mynd yno i ysgrifennu oedde'ni, a ninnau heb ysgrifennu dim, pam oedd . . .*

*Paid â phoeni dy ben! Be' ddiawl . . . 'Ti wedi mwynhau, on'd wyt ti?*

*Ydw, ond . . .*

*Wel, 'na ni 'te!* Rhoddodd ei ddau benelin ar bren y canllaw, ond doedden nhw ddim yn gyffordus yno. Sythodd ei gefn, a rhoi ei ddwylo yno yn eu lle. *Ry'ni wedi cael wythnos fach eitha hwylus—parti ne' ddau, wynebau newydd, newid aer—ac mae hynny ynddo'i hun yn werth y byd—ry'ni wedi gweld ambell i beth na welso'ni mo'no fe o'r blaen, ry'ni wedi cael lot o sbort, a diawl erio'd, ar ben hynny—bonws ychwanegol, rhywbeth na feddylso'ni ddim amdano cyn mynd—fe gest ti gyfle i weld rhai o dy dylwyth Gwyddelig!*

A bu'n rhaid i mi fodloni ar y cyfiawnhad amlwg a rhesymol hwnnw. Cwestiwn arall oedd a fyddai Gwen mor fodlon.

Erbyn hyn, roedd y rhan fwyaf o'n cyd-deithwyr wedi dod i sefyll yn rhes o lygaid disgwylgar wrth y canllaw. Roedd rhai ohonynt, mae'n debyg, yn cael eu golwg gyntaf ar 'wlad y gân', ac yn awyddus i weld côr o lowyr duon a gwragedd mewn hetiau uchel yn sefyll ar graig ac yn canu yn y grug am galon lân yn llawn daioni. Ond nid oedd yno ddim i'w weld ond arfordir Penfro yn llithro heibio i ni'n dawel, fel llong ar fôr.

*Mae genn'i un lle gwag ar ôl ar y ffilm 'ma, ac rwy'n mynd i gymryd llun o hen wlad fy nhadau, bro y llus a'r llynnoedd.*

Trodd Llwyd ei sigarèt yn sigâr enfawr.

*Mae'n dda bod 'nôl yn yr Hen Wlad, unwaith eto yng Nghymru annwyl,* a'r acen Americanaidd yn llifo drwy flaen y sigâr fel o geg yr eisteddfotwr Gwener sy'n canu'n ddagreuol hapus am gof ei 'siglo yn ei chrud'.

cymru drwy lygad y camera sgwar gwydr o faint ewin bawd ac yn y twll petryal greigiau dyfed yn codi a gostwng ar linell bell nad yw yn bod y dwr mor a chraig a mynydd a r tu draw i bellter y cerrig glas ynghudd dan weirglodd a pherth mae awyr y baradwys o bob rhyw wlad y fwyaf dedwydd ei hystad fe i gwelaf yn fy llygadcamera yn feddwdwll ar gecransbeit ac ar lofruddio enwau a beirdd yn ffariseaiddgyfiawn wrth groeshoelio'r un a gar butain a harddwch y fwltur yn grochrwdfrydig yng nghynadleddau r pafiliynau gwyrdd a sgrech eu heddwch yn diasbedain drwy goridorau y dwr sydd wedi mynd dan bont y bywgraffiadur a r darn heb atalnodau yn y peniridin a phawb i ddarllen y gerdd fel y myn ebe meirionabercadwgan mae genn i bethau gwell i w gwneud fel darllen y fanercymrobarntaliesinytraethodyddageiriadurybrifysgoladwylygadbertalunevans.

Trowyd y ffilm i'r x x x x ac aeth y bad yn araf i ddŵr llonydd harbwr Abergwaun.

*Wyt ti'n barod?* gofynnodd Llwyd, fel petae'ni'n mynd i lanio'n feiddgar filwriaethus ar draethau Normandi ar Ddydd D a'n bidogau'n llym a disglair.

*Reit!* meddwn, gan ddangos awch fy nannedd i'r gelyn-ddyn yn ei gaban concrit uwch y dŵr.

*Lawr â ni 'te i ffwrneisi uffern!*

Yn ddwfn yng nghrombil anferth y bad, eisteddai'r gyrwyr wrth olwynion disymud eu cerbydau, eu peiriannau'n tanio'n ôl i fywyd y ffyrdd, yn awchus, fel milgwn, i fynd o afael y blociau a'r cadwynau dur i ryddid yr awyr a'r ffordd agored. Âi morwyr y moduron o gwmpas eu gwaith gan weiddi ar ei gilydd mewn trwch o Saesneg Gwyddelig, a chwysu wrth y rhaffau haearn.

Fflachiodd y sbarc dros adwy y plwg a gwthio'r piston yn fflam o nwy at waelod y silindr. Roedd y Peugeot gwyn yn barod i fynd.

*O.K!* meddai gwenci daer o Wyddel mewn fest seimllyd, a rhoi arwydd ei ryddid i Llwyd yn sedd y gyrrwr.

Allan â ni o'r arch swnllyd, i fyny dros y ramp metel, ac i wastatrwydd solet a sment y cei.

*Does gyda ni ddim byd i'w ddatgan, nac oes* meddai'r gyrrwr yn ffyddiog, *dim powdwr tanio, dim bom, dim byd ond llwyth o bapur gwag a nofel anorffenedig!*

*Mae Tlws Tara yn y bŵt cofia. Yr unig beth arall sydd genn'i i'w ddatgan yw ôl marc yr wylan ar f'ysgwydd.*

*A marc Maria ar . . .*

*Dere!*

Aethom i gwt diniwed y 'Dim i'w Ddatgan', a mynd drwodd yn ddiffwdan. Roedd dyn y cap smart yn adnabod Llwyd beth bynnag.

*Shw' mae'i Mr. Lloyd! Gwyliau da?*

*Iawn, diolch yn fawr.*

*Pwy oedd y dyn bach serchus 'na 'te?*

*Dim syniad. Ond mae'n amlwg ei fod e, pwy bynnag oedd e,*

*yn fy nabod i.* Sgwariodd yn ei sedd a ffugio pwysigrwydd.
*Dyna 'ti enwogrwydd y bocs!*

*Mae pawb yn nabod Michael!*

Ac i ffwrdd â ni i chwilio am heol, am gynffon yr A40. Bob cam o'r ffordd, trwy Dreletert a Chas-blaidd i Hwlffordd, trwy Arberth, Clunderwen, a'r Hen Dŷ Gwyn ar Daf, i'r dagfa fythol ar bont Caerfyrddin, parablai Llwyd am ei gynlluniau ar gyfer yr haf—wythnos yn Rhuthun ar .draul y Gorfforaeth Ddarlledu,. ychydig ddyddiau yng Nghaeredin, rhagor yn Llundain, ymweld â ffrindiau yn Llydaw, a cherdded Clawdd Offa ym Medi. A hwn oedd yn dweud ei fod wedi syrffedu ar deithio! Gwrandawn arno fel petai o bell, y tu draw i hymian soporiffig y car a'm meddyliau fy hun. Ni allwn innau beidio â meddwl am y noson olaf honno yn Nulyn. Y ciwpid ar y lawnt, y bardd ar lawr y tŷ-bach, Morag yn edrych ar luniau'r môr, gwin yn y gegin, a Maria yn ei gwely. Euogrwydd? Rhyw deimlad o edifeirwch? Dim o gwbl; dim byd . felly. Fe ddigwyddasai, a dyna ni. Profiad i'w ddefnyddio rywbryd, yn eiriau ar bapur, y llaw ar golofnau'r Parthenon a haul Groeg yn wres ar y croen. Roedd yn dda fod y peth wedi digwydd. Beth oedd ymadrodd Llwyd? Marc Maria? Yr un yw'r marc hwnnw a marc yr wylan ar fy ysgwydd. Diolch iddi am fy newis i! Nid budreddi fy mam-gu dros wal y talcen, ond lwc, y peth sy'n rhagluniaethol dda. Y naill farc yn rhoi ystyr i'r llall. Mwynhad yr eiliadau o undod cyrff, y gwefr cyntefig. Hynny yn sicr. Ond roedd 'no rywbeth mwy. Nid mynd i mewn i gorff cynnes Maria yn unig a wneuthum. Mynd i mewn i groen fy nhad, a thrigo am ychydig ym mhleser ei nwydau ef. Yn un â'r wylan bell, yr wylan wen ar ysgwydd hwren fy hunllef. Yr aderyn y ceisiais ei lofruddio â challestr mam-gu. Ac ym mhrofiad cynnwrf y gwely hwnnw y clywais, am y tro cyntaf mewn deng mlynedd ar hugain, y geiriau a leferais rywbryd yn grwt ar feinciau'r festri—y sawl ohonoch sydd yn ddibechod . . . Yn y gwely hwnnw y llithrodd y garreg finiog o'm llaw. Nid oedd holl orwedd fy nhad mewn gwelyau dieithr, o angenrheidrwydd, yn gyfystyr â diffyg cariad at ei wraig a'i blentyn. Y

173

plentyn ar biler y glwyd, a'r tad ar goll yng ngwewyr ei gorff. Na, doedd y nofel ddim yn orffenedig, ond beth oedd yr ots am hynny? Roedd darganfod cnawd byw fy nhad yn bwysicach.

Fe gyrhaedd'som ni'r cwm o'r diwedd, y cwm a'r pentref, a'r byd arall, y byd real, byd siopa, palu'r ardd, talu'r morgaits, llenwi ffurflenni treth incwm, 'a'r gwirionedd sy'n y grug'. Codi llaw ar Harri Bach sydd yn yr un man bob amser. Mae Harri'n gall. Dyw e'n gwneud dim byd ond dod allan o'r tŷ yn y bore, sefyll ar erchwyn y palmant a'i freichiau wedi'u plethu dros ei frest, gwylio'r traffig yn carlamu heibio iddo, ac yn yr hwyr—mynd 'nôl i'r tŷ ac i'r gwely.

Wedi troi o'r ffordd fawr, gwelwn, o ben isaf y stryd, y ddau bererin yn mynd drwy'r glwyd at y tŷ, Siôn, fel arfer, yn llusgo'i fag brechdanau dros y lawnt yn lle cerdded yn deidi ar hyd y llwybr. Roedd Guto ar fin agor y drws ffrynt pan arhosodd y car. Siôn oedd y cyntaf i'm gweld pan ddeuthum allan i sefyll ar y palmant.

*Dewch gloi! Mae dat wedi dod 'nôl!* Rhedodd ataf fel corgi dwl i dderbyn cofleidiad a chusanau. Daeth Guto ar ei ôl, ond yn hamddenol fonheddig a di-frys, fel sy'n gweddu i aeddfed-rwydd y deng mlwydd oed. Safodd wrth y glwyd ac aros i mi sarnu gwallt ei ben a chynnig iddo ryw gusan Ffrancwr. Ond doedd ei groeso ddim llai nag eiddo'i frawd bach. 'Chewch chi ddim eistedd ar biler y glwyd bois. 'Chaiff neb roi carreg yn eich llaw.

Safai Gwen yn ffrâm y drws, yn gwenu.

*Croeso 'nôl i chi'ch dau.*

Tynnais y bagiau a chwdyn papur Siôn Corn o'r bŵt, a chau'r clawr â chlep diwedd taith. Daeth Gwen ar hyd y llwybr at y glwyd.

*'Wyt ti'n aros i gael te gyda ni?*

*Dim diolch Gwen; rwy'n mynd adre'n syth. Mi alwa'i ryw-bryd 'to—cyn mynd i'r 'steddfod.*

*Galw fi ar y ffôn pan gei di gyfle. A diolch i ti am bopeth.*

*Paid â sôn.*

Ac i ffwrdd ag ef i'w unigrwydd sengl a Chlawdd Offa.

Aethom i'r tŷ gyda'n gilydd. Cyn cyrraedd y drws agored—
*Ydych chi wedi dod â rhywbeth i ni?*

Siôn yn gofyn ar ran y teulu. A'r teulu'n gyfan ar stepyn y drws.

Dedwyddwch y Nadolig bychan ganol haf, hwyl coeden y gaeaf yng ngorffennaf yr haul, papur amryliw yn ddarnau carpiog ar lawr, a'r bechgyn wrth eu bodd ar bengliniau'n cymharu anrhegion ac yn canmol y rhoddwr.

A'r Tlws Tara bychan?

*Yr union beth* meddai Gwen, *i'w wisgo ar y ffrog frethyn'na o Rydlewis.*

Diolch, a chusan o werthfawrogiad. Sylwodd hi ddim fod darn bychan o'r llafn cul wedi torri ymaith yn y papur sidan. Rhaid fy mod innau, rywsut wedi gwasgu'r pecyn yn lletchwith yn fy mhoced wrth fynd yn fy mrys y noson honno i dŷ Huw Llywelyn, neu wrth blygu'r siwt yn y cês pan oeddwn yn pacio drannoeth. Sut bynnag, doedd y toriad ddim yn amlwg i'r sawl na welsai'r tlws yn gyfan. Ni wyddai Gwen amdano, ac felly ni allai'r nam amharu dim ar ei phleser a'i boddhad. Dweud dim, dyna oedd orau.

*Mae genn'i rywbeth i ti hefyd—tarten 'fale yn y ffwrn! A llond jwg o hufen ffres.*

Fore trannoeth, ar ôl i'r plant fynd i'r ysgol, fe aeth Gwen i Abertawe am y dydd. Gan nad oeddwn wedi llwyr ddiosg y wisg laes o hamddena a fu amdanaf yn Iwerddon—fe gymer ychydig ddyddiau i rywun ei ailgymhwyso'i hun at normalrwydd a chyffredinedd y gorchwylion cyfarwydd—ni allwn feddwl am wneud y pethau bach diflas y dylid eu gwneud ar ôl dychwelyd o wyliau. Roedd yno lythyron i'w hateb, lawnt i'w thorri, biliau i'w talu, gardd i'w chwynnu, cegin i'w pheintio, a llu o ddyletswyddau cartrefol eraill. Ond nid oeddwn am fynd i'r afael ag un ohonynt.

Gwneud cwpaned o goffi i mi fy hun. Darllen y papur yn y gegin. Dim byd o bwys tyngedfennol, ar wahân i sgôr diweddaraf Morgannwg. Golchi'r dyrnaid llestri a'r sosban laeth er mwyn cadw trefn ar bethau. Mynd i'r stydi. Chwilio am lyfr. Rhywbeth ysgafn. Y math o lyfr sy'n cyffwrdd ag ymylon y meddwl yn unig, heb beri cynnwrf yng ngwaelodion y deall. Simenon. Maigret. Cystal â dim. 'Nôl i'r ystafell-fyw. Eistedd. Sigarèt. Darllen tudalen. Digon. Rhy anesmwyth i ddarllen, hyd yn oed y stori am ddiflaniad Monsieur Monde. Penderfynu mynd i weld mam. Gallwn fynd â'r ffilm i'w ddatblygu yr un pryd, gan fy mod yn gorfod mynd heibio i siop Gwilym Lewis.

Doedd y ffotograffydd ei hun ddim yn y siop y bore hwnnw.

. . . *wedi mynd i Lunden am gwpwl o ddiwrnode* meddai'i chwaer, a rhoi'r ffilm mewn cwdyn papur. Estynnodd i mi dderbynneb i'w gadw'n ddiogel erbyn dydd y casglu.

*Pryd fyddan nhw'n debyg o fod yn barod?*

Rhoddodd y cwdyn papur mewn drôr.

*Wel, mae'n anodd gweud . . . Gwilym ni sy'n eu hala nhw bant fel ych chi'n gwbod . . . a 'fydd e ddim 'nôl 'sbo dydd Sadwrn . . .*

—cyfrif dyddiau yn y meddwl—

*. . . fyddan nhw bythownos 'weden i.*

Ac felly, gadawyd lluniau'r daith yng nghwdyn papur y gwerthwr camerâu. Llun y bedd yn y fynwent anniben, llun yr abaty llwyd rhwng y bryniau, llun braich y mab am ysgwyddau hen ei fam, llun y creigiau yn Nyfed.

Pan gyrhaeddais y tŷ roedd mam yn sefyll wrth wal y talcen ac yn siarad â'r wraig sy'n byw drws nesa. Nid â gwraig Joni Rees. Fe'i claddwyd hi flynyddoedd yn ôl. Claddwyd mam-gu hefyd, pan oeddwn innau'n fyfyriwr. Eisteddwn gyda hi yn oriau hir a distaw y nos, yn dal ei llaw, ysgwyd ei gobennydd, a gwrando ar ymadroddion ei dryswch.

*Pwy fusnes sy 'da fe i sefyll yn y drws 'na? Gwed wrtho fe am fynd a rhoi llonydd i fi . . .*

*Symud yr ham Gymru 'na'n nes 'nei di . . .*

*O . . . 'merch fach i!*

*. . . yn Hendre C'radog . . . hen ddiawl o ddyn . . . a mam yn sgwrio'r fflags bob dydd . . .*

Rhown fy llaw yn ysgafn ar ei thalcen, a chyfrannu i ymddiddanion tywyll fantasïau'r angau a eisteddai'n gyfforddus ar garthen ei gwely. A bu farw yn y bore. Druan ohoni yn hacrwch ei dicter. Gwyn ei byd yn nhawelwch ei marw mud. Fe aeth mam-gu, ond fe adawodd wal y talcen ar ei hôl. Yr un yw'r cerrig yn y wal, yr un yw'r cen ar y cymrwd. Ac mae'r tŷ-glo yno hefyd, a'i ddrws yn mynd yn fwy siabi o flwyddyn i flwyddyn. Nid brown yw lliw y pren bellach; fe gafodd sawl cot o baent ers dyddiau'r brown pothellog hwnnw a fu'n lliw hagr o dan ewin 'slawer dydd.

*'Ddest ti'n 'nôl 'te!*

Eglurodd i'r wraig ifanc, yn ei Saesneg gorau, fy mod wedi bod wrthi'n ddyfal yn ysgrifennu llyfr newydd yn unigeddau pellennig yr Ynys Werdd, egluro iddi mor wyn oedd ei chyw canol-oed. Teimlwn fel mynd yn grwt bach at ddrws y tŷ-glo i ymguddio mewn gwrid o gywilydd.

Aethom i'r tŷ, mam i ferwi'r tegell, minnau i ymlacio yn y gadair-freichiau wrth yr aelwyd.

*Shwd a'th y trip?*

*Da iawn.*

Rhoddais iddi'r amlinelliad brasaf posibl, gan adael allan y rhannau tylwythol. Ym meddwl mam o hyd, mae unrhyw arwydd o ddiddordeb yn nheulu 'nhad yn rhyw fath o sarhad arni hi. Mae'n naturiol ei bod yn teimlo felly, am wn i. Deuddeng mlynedd o aberthu llwyr. Magu bachgen drwy gyfnod ei arddegau, ei gadw yn yr ysgol, a rhoi cyfle iddo fynd i goleg. Yffarn o fywyd unig. A byw main y diawl. Dirwasgiad, ac arian dôl. Rhyfel, a dogni bwyd. Ysgariad, a lwfans digon tenau. Gweithio'n ddygn i grafu digon o geiniogau at ei gilydd i brynu dillad a llyfrau i'w mab. A'i gŵr yn ei hwrian hi mewn tafarn a gwely dieithr. Mae'n naturiol ei bod yn teimlo felly. Ac eto, pe dywedwn wrthi heddiw fy mod o'r diwedd yn deall fy nhad, yn ei adnabod, ac yn maddau iddo, gwn y byddai'n teimlo'n falch am mai ef oedd yr unig ddyn a garodd hi erioed. Rwyf yn eithaf sicr yn fy meddwl na fu yn ei chalon hi y gwenwyn a lifai yng ngwaed fy mam-gu.

'Dd'wedais i ddim hynny wrthi chwaith y bore hwnnw. Ond mi fentrais sôn am Cappoquin, a dangos iddi'r copi o dystysgrif bedydd fy nhad-cu.

*Roedd 'no ryw ddirgelwch mawr ynglŷn ag e* meddwn. *Neb yn gwbod dim byd, hyd yn oed y Johnny Rawlins 'ma, yr hen foi yn Nulyn.*

*Dwy'n synnu dim. Rhai od oedden nhw i gyd.*

*Efallai eu bod nhw, ond fe allai'r stori fod yn ddiddorol, yn ddigon diddorol i ysgrifennu amdano.*

*Be' ddylet ti 'neud yw mynd i weld Meri Tanner. Rawlins oedd hi cyn priodi, c'nithder dy dad, merch i chwaer Maurice.*

Enghraifft arall o'm hanwybodaeth anhygoel am berthnasau agos. 'Wyddwn i ddim am ei bodolaeth hi.

*Ble mae honno'n byw 'te?*

*'Allai'i ddim gweud wrthot ti'n iawn, ond rywle ar bwys yr hen waith tun, ar fanc y c'nel.*

*Beth yw ei hoedran hi?*

*Yr un oedran â fi'n gwmws. Fuodd y ddwy ohono'ni'n dysgu*

*gwnïo yn yr un man. Rwy'n cofio'i mam hi'n dda . . . yr hen*
*Annie Rawlins . . . byw ar dop tyle'r stesion, yn un o'r byth-*
*ynnod bach 'na.*

A oedd hi'n bosibl fod yr atebion i gwestiynau'r dirgelwch
yma yn y gymdogaeth hon, ymhell o eglwys y plwyf yn Cappo-
quin, ymhell o'r tŷ yn Crotty Avenue a'r dyn gwelw yn ei
gadair,
*'Ti'n aros i ginio on'd wyt ti?*
*Man a man, gan fod Gwen wedi mynd i'r dre.*


Yn syth ar ôl cinio, roeddwn yn cerdded ar fanc y gamlas.
Roedd genn'i ddwyawr cyn disgwyl y plant 'nôl o'r ysgol. Mwy
na digon o amser i ddod o hyd i dŷ Meri Tanner, a'r ateb efallai
i gwestiwn neu ddau.

Doeddwn i ddim wedi cerdded y llwybr hwn ers blynydd-
oedd, ers dyddiau ysgol, dyddiau sydd mor glir o bell erbyn
hyn. Y prynhawniau Sul hynny ym melynder hafau sioncyn-y-
gwair a'r ogofeydd emrallt yng nghuddfannau y rhedyn. Dillad
parch ac ysgol Sul. Esgidiau anystwyth a choler crys fel cylch
haearn y caethweision. Stori a chân sanctaidd yn y festri. Banc
y c'nel wedyn. Jôc a chwerthin. Dweud 'blydi', a chwerthin yn
uwch. Pelto cerrig at y geifr a borai'n gadwynog drist ar y llethr
goediog wrth y cae criced. Geifr Georgie Canal, y Sais a ofalai
am y gamlas. Ef a gadwai'r dŵr yn lân, ac yn glir o hacrwch
sbwriel a'r chwyn gwyrdd hwnnw a dyfai'n ffrwythlon fel
gwmon o ddyfnder twyllodrus y llaid du. Roedd ganddo gwch,
bychan fel cwrwg ond sgwâr fel bocs, ac yn y llestr hynod
hwnnw gallai groesi'r dŵr at yr offer a gadwai mewn sied sinc
ar y lan arall. Ef hefyd a ofalai fod clwydi'r lociau a'r llif-
ddorau yn agor a chau yn ddidramgwydd. 'Wyddai Georgie
ddim byd am y brodyr Domenico o Viterbo—mwy nag a
wyddem ninnau'r plant—ond fe wyddai bopeth am bedwar loc
ei ofalaeth. Clywais droeon iddo dynnu, yn ei amser, fwy nag
un corff marw o bydewau dyfrllyd maes ei hwsmona.

Mae'r cwm yn gul, ac nid oes ond rhyw bedwar canllath

rhwng y gamlas a'r afon, llai yn y mannau lle mae'r afon yn
newid cyfeiriad ei chwrs ac yn dod yn nes at ddŵr llyfnach ei
hanner chwaer ddiwydiannol. Fe ddigwydd yr agosáu hwnnw
wrth y darn tir lle safai'r gwaith alcam y bu fy nhad yn chwysu
wrth ei felinau ar ôl gadael yr ysgol. Does yno ddim byd erbyn
hyn, dim ond adfeilion o dan y llwyni dryslyd. Yno, wrth bont
anghyfan y gwaith, mae'r pownd dwfn lle bûm yn dysgu nofio
fel ci. Roedd gennym enw ar y llecyn dŵr hwnnw—Sind-yr-eli.
'Wydde'ni ddim mai Llyn y Felin oedd yr enw iawn. Ond beth
bynnag oedd yr enw cywir, a beth bynnag oedd yr iaith, roedd y
dŵr yn ddwfn ac yn hyfryd oer yn nyddiau'r gwres, a chaem
hwyl yn y pownd ar waethaf y sgym melyn a lynai wrth gerrig
llyfn y mannau bas.

Ond nid dyna'r gwaith a olygai mam wrth fy nghyfeirio at dŷ
Meri Tanner. Y gwaith a olygai hi oedd yr hen waith tun arall
ryw filltir yn uwch i fyny'r cwm. Doeddem ni'r plant ddim yn
mentro mor bell â hynny; roedd y gwaith hwnnw, a oedd yn
adfeiliedig bryd hynny hyd yn oed, y tu allan i diriogaeth ein
chware. Perthynai i ran o'r ardal a ystyrid gennym yn anwar a
pheryglus, lle roedd y plant yn rhegi ar eu mamau, lle roedd
pob ci yn gynddeiriog reibus, a phob cath yn gwrcyn lloerig.
Doedd neb ohonom yn barod i groesi weiren bigog y ffin
honno rhag ofn y deuem adref yn garpiog a gwaedlyd, fel y dyn
bach hwnnw y gwelsom ei lun mewn lliw ar siart yn y festri, y
dyn ar y ffordd rhwng Jerwsalem a Jerico. Daethom i wybod
yn ddiweddarach nad oedd y lle gynddrwg â hynny.

Roeddwn wedi cyrraedd tua hanner ffordd rhwng yr hen
waith tun a'r gwaith arall pan welais ddau dŷ yn sownd wrth ei
gilydd mewn llannerch o goed ar y tir gwastad rhwng yr afon a
banc y gamlas. Fe allai mai yn un o'r rhain y trigai cyfnither fy
nhad.

Rhedai llwybr dros y ddôl at y coed a'r adeiladau. Wrth
agosáu atynt gwelwn fod y tŷ cyntaf yn wag, ac wedi bod felly
ers amser os oedd y canghennau deiliog a dyfai allan drwy'r
ffenestri yn arwydd o gwbl o absenoldeb tenantiaid. Nid oedd
ôl llawer o fywyd iach ar y llall chwaith, ond roedd 'no ryw

wendid o fwg ysgafn yn esgyn o'r simne uchel rhwng y coed. Gan fod gweddillion gardd a lawnt wedi mynd yn un mewn anialwch o dyfiant gwyllt, ni allwn benderfynu ai at gefn y tai ynte'r ffrynt yr oeddwn yn cerdded, ond trwy ddilyn fy nhrwyn a'm cael fy hun mewn adwy lle buasai gynt, mae'n debyg, glwyd fechan, gwelwn fy mod ar ryw fath o lwybr a arweiniai at ddrws mewn darn unllawr o'r tŷ. Nid oedd modd gweld dim drwy'r ffenestri gan fod niwlen o lwch a baw yn drwch ar y gwydr. Doedd y lle ddim yn edrych yn addawol iawn, ac roedd yn anodd gennyf gredu bod perthynas i mi yn byw yn y fath le.

Mentrais guro ar bren caled y drws. Dim sôn am ateb, nac unrhyw symud dynol yn ystafelloedd y tŷ. Ceisiais edrych drwy ffenestr yn ymyl y drws, ffenestr isel a chul a oedd, mi dybiwn, yn ffenestr cegin, ond roedd hi'n amhosibl gweld dim drwy'r cwareli gludiog a'r llenni bratiog. Rhoddais ail gynnig ar guro'r pren, a gweiddi Hylo!

Daeth llais gwanllyd hen wraig o rywle ym mherfeddion y barics, yn gryg ac yn grac ddiamynedd.

*Olreit! . . . Olreit! Dwy'n dod mor gloi ag y galla'i!*

Sŵn gwadnau llopanau'n llusgo dros lawr digarped at y drws, a mwmial isel annealladwy. Sŵn tynnu dau follt cadarn. Gwelwn y gliced yn codi, a'r drws yn agor, ychydig fodfeddi yn unig. Yn syllu arnaf—hen, hen wyneb. Yr un oedran â mam? Amhosibl. Edrychai bymtheng mlynedd o leiaf yn hŷn.

*Mrs. Tanner?*

'Atebodd hi ddim, ond fe agorodd hi'r drws fodfedd neu ddwy arall ac estyn ei phen ymlaen i'm gweld yn well ac yn eglurach. Edrychai arnaf yn ddryslyd, fel petai'r niwl yn hir yn clirio oddi ar ei llygaid pŵl, ac yna fe dd'wedodd, yn dawel iawn ac yn ansicr amhendant—

*Lewis?*

Cerddodd cryd o waelod fy nghefn at wallt fy ngwegil. Yng ngwendid ei llygaid gweld fy nhad yr oedd, gweld ei wyneb ef yn fy wyneb i. Ond fe gofiodd ar unwaith.

*Nage, nage . . . mae Lewis wedi marw druan . . . beth sy'n bod arna'i?*

181

Saesneg oedd ei hiaith, ond Gwyddelig ei hacen, ac roedd hynny'n rhyfedd o ystyried iddi fyw yn y cwm am yn agos i ddeng mlynedd a thrigain.

*Mab Lewis . . . John.*

*Wel ie . . . John . . . mab Lewis . . . ie; ie, mab Annie . . . nabod ych mam yn dda . . . wel, wel, pwy feddylie . . . mab Lewis druan* . . . a dal i rythu arnaf, fel petai doe a heddiw'n freuddwyd liw dydd wrth y drws.

*'Allwn i gael gair gyda chi?*

*Wel cewch . . . cewch, cewch . . . dewch miwn.*

Fe agorodd y drws led y pen, a sefyll i'r naill ochr i'm derbyn i'w chartref digysur rhwng yr afon a'r gamlas. Yr oeddwn ar fin camu dros y trothwy pan welais gortyn o gynffon hir a llwyd yn crogi dros ymyl y cafn uwchben y drws. Hanner eiliad o betruster greddfol cyn mynd i'r tŷ, hanner eiliad o weld llygoden ffrengig dew yn sbïo arnaf yn ddigywilydd ddi-ofn o agosrwydd y cafn uwch fy mhen, hanner eiliad o deimlo cryndod y ffieiddio oesol yn fy nghorff yn gyfan.

*Ewch chi drwodd i'r gegin* meddai'r hen wraig. *Mi ddo'i ar ych ôl chi . . . Dwy'i ddim mor sionc ag oeddwn i.*

Pwysai yn drwm ar ei ffon, a cherdded yn boenus o araf, ei hesgyrn brau a'i chymalau yn gwlwm caled o wynegon. Roedd yr ymdrech o grafu'r llopanau o ffwr pygliw dros fflagiau annedwydd y llawr yn dangos ar ei thalcen crych.

Er ei bod yn berthynas agos i mi, ni allwn deimlo'n gysurus yn ei thŷ. Safwn o flaen y lle-tân, yn aros iddi gyrraedd ei haelwyd, a sylwi ar olwg ddi-raen popeth a welwn o'm cwmpas. Diau fod a wnelo'i chlefyd â'r diffyg glanweithdra, ac eto ni allwn fod yn siŵr mai dyna oedd y gwir reswm. Afiechyd? Tlodi? Henaint? Y tri gyda'i gilydd efallai.

Arhosodd wrth ddrws y gegin am ychydig eiliadau a rhoi cyfle i ambell gwlwm ymlacio.

*Mab Lewis druan . . . pwy feddylie?*

Am ryw reswm, ymddangosai'n hollol gartrefol yn y llanast' hwn o lety, fel petai'n gwbl amddifad o'r balchder hwnnw sy'n

peri bod rhywun yn ei gadw'i hun a'i eiddo yn weddol gymen a
syber. Druan ohoni. Hongiai ei sanau tyllog yn llac ac ar gam
am ei baglau tenau, ac mae'n amheus genn'i a welodd y brat a
wisgai ddiferyn o ddŵr golchi erioed. Er ei bod yn ganol haf ac
yn gynnes y tu allan, roedd ganddi siôl wlanen am ei
hysgwyddau a sgarff am ei gwddf.

*'Steddwch yn y gadair 'na, 'machgen i . . . Yn honna oedd
eich tad yn arfer eiste' . . . y gadair orau yn y tŷ medde fe.*

Gwneuthum yn ôl ei gorchymyn, a'i gwylied yn brwydro at y
lle-tân. Rhoddodd un llaw ar y mantlpis, a symud â'i ffon y
darnau coed a losgai'n fyglyd ddi-fflam ar y garreg wastad dan
y simne. Fe'i gwelwn yn ei chwman yn hel tanwydd sych dan y
coed o gwmpas ei thŷ, yn hen wreigan grom mewn stori blant.

*Mae'n rhaid i mi gadw tân o achos y damp . . . a'r hen
wynegon 'ma . . . ond dyw e ddim cynddrwg yr amser yma o'r
flwyddyn.*

Cynddrwg ai peidio, nid heb drafferth y llwyddodd i eistedd
ar y gadair bren gyferbyn â mi. Rhoddodd ei dwy law gnotiog,
y naill ar ben y llall, am garn ei ffon.

*Wyddoch chi* meddai, *fe fu'r 'Father' yma'r wythnos
ddiwetha . . .*

Pabyddes oedd hi felly, yn ffyddlon i'r hen fam.

*. . . a meddwn i wrtho—'Father', dim ond un peth dwy'i'n
dymuno nawr, a hynny, meddwn i, yw gweld bachgen Lewis 'y
nghefnder i. Mae e'n fardd, meddwn i, yn fardd 'run fath â'i
dad, ac fe garwn i siarad ag e. Wel, meddai'r hen 'Father', pwy a
ŵyr, mae Duw yn dda, efallai y cewch chi'ch dymuniad Meri . . .
. A dyma chi . . . bachgen Lewis druan . . . pwy feddylie!*

'Wyddwn i ddim ai dweud y gwir yr oedd hi, ynte dych-
mygu'r cyfan, neu efallai ddangos ychydig o gyfrwystra
Gwyddelig. Ond roedd hi'n swnio'n ddidwyll.

Gwyddwn fod fy nhad yn rhigymwr tafarn, ac yn delynegwr
papur lleol. Pan oeddwn i yn yr Ysgol Ramadeg, oni welwn, o
bryd i'w gilydd, gerddi o'i eiddo yng ngholofnau'r
papur—cerddi anfarddonol am ei bartneriaid cwrw a'u hwyl
awengar o gylch piano a bwrdd dartiau—ond roedd hynny yng

nghyfnod y pellter, yng nghyfnod y casáu, ac fe'u llosgwn bob un yn fflamau'r tân yng nghegin mam-gu. Deuthum o hyd, unwaith, i nodlyfr mewn drôr yn ystafell fy mam, ac yn y llyfr ddarlith gan fy nhad, mewn ysgrifen gymen ac mewn Cymraeg graenus, ar ddyddiau ei blentyndod yn y cwm. Cofiaf i mi ddarllen tudalen neu ddau cyn rhwygo'r llyfr yn ddarnau mân a'i daflu'n filain i waelod brwnt y bwced lludw. Dyddiau'r dicter naturiol oedd y rheiny, dyddiau'r llabyddio erchyll. Mor edifar wyf erbyn hyn. Byddai'n dda gennyf gael y cerddi yn fy llaw, y ddarlith o flaen fy llygaid. Onid felly y dymunwn i'm bechgyn innau weld geiriau eu tad, yn glir ar gledr eu dwylo, yn fyw a hyglyw ar eu tafodau? *Un triste recuerdo* . . . Ac yn y tristwch, barhad llawenydd y prynhawniau haul. Mae llofruddio'n ddieflicach na godinebu, llabyddio'n greulonach na chyplu mewn gwely estron. Ond mae'n rhy hwyr; fe ddigwyddodd y cyfan—y godinebu a'r cyplu, y llofruddio a'r llabyddio. Ac mae'r cerddi'n oer yn y lludw diflanedig.

Ef, yn ddiamau, a roddodd i mi'r gynneddf, yr anian sy'n ymateb i rithmau cyfosodiad sŵn a syniad ym mhatrymau ymadrodd a cherdd. Sylweddolwn hynny wrth eistedd yn ei gadair yng nghegin Meri Tanner, wrth wrando ar ei gyfnither yn dweud wrthyf mor debyg oeddwn i'm tad.

. . . *mor debyg i Lewis druan.*

Ofnaf y tebygrwydd. Derbyniaf fy mod, o ran pryd a gwedd, yn debyg iddo; yr un siâp corff, yr un wyneb. Yn llygaid ei gyfnither yr un oeddem. Nid oedd gwahaniaeth rhyngom. Ni allaf ond gwerthfawrogi'r ddawn a roddodd i mi, ei phrisio, ei meithrin, a'i gwella. Ond ofnaf bosibilrwydd y tebygrwydd arall, tebygrwydd yr emosiwn cryf a'r hydeimledd a ymatebai i brydferthwch mewn gwrthrych a gwefr, tebygrwydd y ffawd a'i gyrrodd at waelod y tyle'n ddiddychwel a minnau'n eistedd wrth y glwyd. Ofnaf y tebygrwydd hwnnw.

*Rwy'i newydd ddod 'nôl o Iwerddon* meddwn. *Fe fues i'n aros yn Cappoquin.*

Daeth ei llygaid pŵl yn fyw ar unwaith.

*Yn Cappoquin? 'Fuoch chi yno?*

184

*Do, am ddau ddiwrnod . . . yn chwilio hanes 'nhad-cu.*

Gwelwn fod y cyfeiriad at Cappoquin wedi peri anesmwythyd o ryw fath yn ei meddwl, oblegid roedd arafwch ei symudiadau wedi troi'n aflonyddwch amlwg. Croesodd ei thraed, rhoddodd ei ffon i bwyso yn erbyn y ford yn ei hymyl, gwnaeth gwlwm o'i dwylo gan blethu'r bysedd a'u gwthio'n galed at fforch y cymalau, a gwasgu'r plethiad esgyrnog ar arffed ei brat.

*'Welsoch chi rai ohonyn nhw?*

Pwysodd ymlaen yn eiddgar i glywed yr ateb, ond nid oedd gennyf ateb. Ni wyddwn am bwy y soniai, pwy oedd y *Nhw* a bwysleisiwyd ganddi mewn ffordd mor eglur ystyrlon. Gofynnodd eto, braidd yn ddiamynedd.

*'Welsoch chi nhw? Yr Hurleys? . . . Teulu 'nhad!*

Sylweddolais yn sydyn nad oeddwn, tan yr eiliad honno, wedi gweld arwyddocâd y ffaith mai Rawlins oedd ei henw cyn priodi. Meri Rawlins— dyna dd'wedodd mam—merch Annie Rawlins. Ac roedd honno'n chwaer i'm tad-cu. Mam ddibriod oedd Annie Rawlins felly, a'i phlentyn anghyfreithlon oedd yr hen wraig hon. Doeddwn i ddim wedi sylweddoli hynny. A dyma hi nawr yn sôn am ei thad, yn sôn am deulu arall yn Cappoquin. Ai ym mherthynas y ddau deulu yr oedd gwreiddyn y dirgelwch am fy nhad-cu? Eglurais iddi na wyddwn i ddim byd am y teulu y soniai hi amdano, ond fy mod wedi cael prawf sicr mai yn Cappoquin y ganed fy nhad-cu.

*Ac yno y ces i 'ngeni hefyd* meddai. *Yn Barrack Street.*

Estynnodd am ei ffon, a chodi o'i chadair, heb lawer o anhawster yn rhyfedd iawn, fel petai ganddi bethau eraill i feddwl amdanynt yn lle'i gwynegon a'i drafferthion. Croesodd lawr y gegin, a sefyll o flaen llun ar y wal, llun mawr mewn ffrâm llydan o bren tywyll. Llun ydoedd o ferch ifanc, ei phen a'i hysgwyddau yn unig.

*Mam yw honna* ebe'r hen wraig, *yn ddeunaw oed.*

Edrychodd ar y llun am beth amser, yn dawel fel petai'n cyflawni gweithred o ddefosiwn.

*Merch berta'r plwy'.*

185

Codais o'r hen gadair freichiau, a mynd i sefyll gyda'r hen gyfnither o flaen llun ei mam ifanc.

*Mae yn hardd* meddwn. Ac roedd hi felly. Nid merch bert mohoni, ond gwraig hardd. Wyneb glân fel golau cynnar, llygaid agored, talcen clir a llyfn, a gên berffaith. A'r wraig hon, urddasol ei harddwch, a ddaeth i fyw yn un o'r bythynnod hynny ar dop tyle'r stesion, mam a'i phlentyn siawns.

Euthum yn ôl i eistedd yn y gadair, a dechreuodd Meri Tanner lusgo o gwmpas ei chegin, ei ffon yn gryf o dan ei phwysau. Roedd hi wedi ymgolli mewn breuddwyd afreal o atgof cymysgliw. Ni allwn innau ond gwrando ar y tameidiau llafar, a cheisio dyfalu cyfanrwydd y darlun.

*Annie Rawlins medden nhw—does 'no'r un ferch yn Cappo-quin sydd debyg iddi hi . . . mor bert . . . mor ddeniadol.*

Y llopananu treuliedig—mor drist oedd eu lliw ar y mat tenau. Ac esgyrn y traed o'u mewn yn gwingo gan wasgfeydd y parlys damp rhwng yr afon a'r gamlas.

*Roedd y milwyr i gyd yn dwlu arni . . . y milwyr yn eu cotiau coch . . . dwy'n eu cofio nhw mor dda . . . yn martsio drwy'r pentref.*

Blaen ffon yn solet ar lawr, llafn o bren yn cynnal musgrellni hen wraig, corff fel cwdyn o frigau bregus, tanwydd dan y coed wrth y tŷ hyll.

*Plentyn oeddwn i . . . yn dair, yn bedair oed . . . merch fach yn chwarae ar lawr pren ystafell hir, hir . . . a mam yn gwnïo wrth y ford . . . gwnïo botymau a brêd ar wisgoedd y milwyr . . . brêd pert ar wisgoedd coch . . . eistedd ar lawr pren yn chwarae â rhuban.*

Gwallt aflêr yn gudynnau am wyneb hagr, a'r blew brith yn edau llwyd ar siôl yr ysgwyddau.

*Ond dwy'n cofio 'nhad yn well na neb . . . mor smart yn ei gôt werdd a'i fritsys gwynion . . . mor uchel ar ei geffyl, ceffyl yn sgleinio gan chwys yn yr haul . . . dwy'n cofio'r chwip yn ei law.*

Cyfnither fy nhad o flaen llun ei mam, yn gweld ar y gwydr yr wynebau pell o gof plentyn, oriel cymeriadau'r stori.

*Brioda'i ti ryw ddiwrnod meddai . . . ond twyllwr oedd y*

*diawl . . . a thwyllwr oedd ei dad, hen Hurley'r plas . . . yno*
*roedd 'nhad-cu yn goetsmon . . . yn nhŷ crand y gŵr bon-*
*heddig.*

Codai'r mwg anfodlon yn araf i lwnc y simne o brennau
duon y garreg wastad.

*Pump oed oeddwn i . . . cofiaf y milwr yn fy estyn i freichiau*
*mam yn y cwch . . . yn Waterford oedd hynny . . .*

*Ydych chi'n gwybod pam y bu'n rhaid i chi fynd o Cappo-*
*quin?*

Ond doedd hi ddim yn gwrando.

*Mae 'no arian i mi . . . arian fy nhad . . . arian o boced hen*
*Hurley'r plas . . .*

Aeth yn ôl at y llun.

*Dwy'n mynd yno ryw ddiwrnod, mam . . . dwy'n mynd i*
*Cappoquin i gasglu'r arian, bob dimai goch ohono . . . ac i weld*
*'nhad yn ei gôt werdd . . .*

Ceisiais dorri eto ar ei breuddwyd, ceisio ymyrryd, gafael yn
ei meddwl a'i dwyn yn ôl o'i phellter atgofus i realrwydd y llawr
cerrig o dan ei thraed.

*Beth am frawd eich mam, fy nhad-cu innau, tad Lewis?*
*'Ddaeth e gyda chi o Waterford?*

Ond doedd genn'i ddim gobaith am ateb. Roedd yr hen
wraig fethedig yn ei siôl a'i brat wedi camu 'nôl, yn ddiwyn-
egon, i ryw brynhawn arall ar dop tyle'r stesion, yn ferch ifanc
gyda'i mam, yn gwrando'r stori am filwyr yn martsio mewn
cotiau coch, am ŵr ifanc bonheddig ar gefn ei geffyl, am gwch
wrth y cei yn harbwr Waterford.

*Dwed wrtho'i eto am ystafelloedd mawr y plas, am y celfi a'r*
*carpedi . . .*

Druan o Meri Tanner yn ei chegin dlawd, yn gwrando'n
astud ar lun ei mam yn adrodd am foethusrwydd anghynefin y
plas lle roedd ei thad yn goetsmon a'i chariad yn etifedd.

*Ga'i ddod i'ch gweld chi eto?*

Ond doeddwn i ddim yno yn narlun yr atgof, a daliai hithau i
siarad â'i mam.

*Dwed wrtho'i am y grisiau llydan a'r siandelirau crisial . . .*

Fe'i gadewais yno, ar risiau'r plas, yn ei llopanau di-urddas a'i sanau ceimion. Fe'i gadewais gyda'i mam yn harddwch hiraethlon y llun. Heb ddweud dim, euthum allan yn ddistaw drwy'r gegin-fach, drwy ddrws a than gafn y llygoden lwyd, ar hyd y llwybr anial at lwybr y ddôl, ac yn ôl at fanc y gamlas.

Wrth gerdded adref ar hyd y banc, gallwn weld hanes Meri Tanner yn ddigon clir yn fy meddwl, ac roedd yr hanes hwnnw yn stori ddiddorol, stori arall y carwn ei gwybod yn llawn. Ond nid oedd hanes fy nhad-cu ronyn eglurach. A fu ganddo ef, tybed, ran yn stori ei chwaer? Paham y bu'n rhaid iddyn nhw, y brawd a'r chwaer a'i phlentyn, fynd o bentref Cappoquin i Waterford, ac i wlad arall? Roedd y dirgelwch yn parhau. Awn i weld yr hen wraig eto, ar waetha'r llygod, a'r baw ar y ffenestri. Ar ôl dod 'nôl o'n gwyliau efallai. Ryw ddiwrnod, fe awn yn ôl i blwyf Cappoquin hefyd i weld y plas, yr ystafell-oedd mawr, y grisiau llydan, a'r siandelirau crisial.

Dydd Mercher, dydd Iau, dydd Gwener—prysurdeb digyfaddawd. Fe gyflawnwyd yr holl orchwylion diflas, a chael nad oedden nhw, wedi'r cwbl, mor ddiflas â'r ystyriaeth ymlaen llaw ohonynt. Atebwyd y llythyron, torrwyd y lawnt, talwyd y biliau, chwynnwyd yr ardd. Ni pheintiwyd y gegin; penderfynwyd gohirio'r gorchwyl hwnnw tan ddiwedd y gwyliau. Fe fu gymaint â hynny o gyfaddawdu. Mae'r gair 'holl' felly ychydig bach yn gamarweiniol. Ond gwneuthum gyfiawnder â'r dyletswyddau eraill. Ac ar ben hynny, darllenais am ddiflaniad dirgelaidd Monsieur Monde o'r dechrau hyd y diwedd, gwneud coffi boreol i Gwen yn ei gwely, a golchi'n ddirwgnach fy siâr, os nad mwy, o'r llestri. Roedd bywyd yn dechrau ymdebygu i fywyd normal. Ond nid am hir.

Brynhawn Gwener, fe ddaeth Guto a Siôn adref o'r ysgol yn barod a brwd am wyliau. Wedi tynnu'r crystynnau o flychau'r brechdanau, taflwyd y bagiau ysgol i gwts o'r neilltu, rhoddwyd y dillad academaidd i gadw ac aethom ati, ar ôl te, i lwytho'r carafan.

Yn gynnar fore trannoeth, yng ngwawr y Sadwrn, roeddem ar ein ffordd, yn deulu sipsiwn, hapus, diofal, di-hid, a'n trwynau at fynyddoedd Gwynedd. Ac yn y gwylltineb hwnnw y buom ni am bythefnos—yn gwylied dynion fel corynnod yn ei rhaffu hi ar wyneb clogwyn yn uchel uwch ffordd y bwlch, yn talu gwrogaeth i fyth y ci a llyfu hufen iâ ym Meddgelert, cael chips ym Mhorthmadog, adrodd Eifion Wyn yn nhawelwch Cwm Pennant, prynu pot ym Mhorth Meirion, sefyll yn syfrdan o flaen tŷ yn Nhal-y-sarn, mynd i'r ysgol yn Rhyd-ddu, canu salm ym Maentwrog, a phrynu llechen yn Ffestiniog. Pythefnos o wneud pethau gwâr a phethau anwar, a chysgu bob nos ar obennydd mwyn dan alwminiwm.

Ymlaen i Ddyffryn Clwyd, ac wythnos arall o fyw

afnormal—rhwng tebot y carafan a brechdan ham yr Eistedd-
fod.

Cotiau melyn, arian parcio. Barker & Dobson.
Hylo! S'ma'i! 'Brynwch chi fflag?
Miri Mawr. Caleb. Y Cymro/YFANER.

Hanner pownd o blwms plis. Gwyneth Doll Company.
Brigâd Dân. 'Welest ti honna yn Lol?
Cantorion mewn dici-bows. Sut 'da'chi? Ogl, ogl.
Ysgytlaeth yw'r gair, nid *shaken.* Daily Post/Western Mail.
Llawen gwrdd â hen gyfeillion ac osgoi gynifer ag sy'n bosibl
o'r diawled.

Pwy sy'n ei cha'l hi 'te? Corn gwlad.
A dyma Geraint Lloyd o'r Babell Lên.

'Sdim papur tŷ-bach ar ôl.
'Alawodd e ddim wedyn, ar ôl addo, ond doedde'ni ddim gar-
tref beth bynnag.
Shwd ych chi Mr. Beirniad? Pothell yn gwisgo bathodyn.
Banc Barclay Cyf. Brechdanau ciwcymbyr. Barclaycard. Te
mewn gwniadur.

Coron, glaw, Cadair. Plentyn ar goll.
Merched y Wawr. Be' ddiawl yw'r Baha'i 'ma?
. . . ac yng ngwybod, gwybod y cyfiawn . . . 'An Oireichtai'
Mae Wil wedi cael cam, a Gladys wedi pwdu, a Meri Ann wedi
mynd tshathre.

Eistedd ar bigwnwen ym mhicnicfa'r Comisiwn Coedwigaeth a
galw'r Cymorth Cyntaf, yr Heddlu, Y Wasg, Hywel Gwyn-
fryn, a Chadeirydd y Pwyllgor Gwaith.
Yr Archdderwydd yn piso ar y matsus—unwaith eto.
Curo dwylo. Prynu mil o lyfrau.
Darllen awdl dan gownter y Bwrdd Marchnata Llaeth. Danto.
Ysgwyd llaw saith mil ar hugain, tri chant, pedwar deg wyth a
hanner o weithiau.
Rownd a rownd, a rownd unwaith eto. Beth am fynd rownd
'to, rhag ofn.

Danto eto. Ar werth—pâr o draed.    Dweud 'Hwyl'..
                    Mynd adref.


Tair wythnos o wyliau oddi cartref. Roedd hi'n dda cael
mynd; roedd hi'n braf dod 'nôl. 'Nôl at y gorchwylion diflas.
Roedd 'no lythyron i'w hateb, lawnt i'w thorri, biliau i'w talu,
gardd i'w chwynnu. Ac ar ben hynny, hen gegin i'w pheintio.

Yn yr wythnos honno ar ôl yr Eisteddfod yn Nyffryn Clwyd, roedd genn'i rai pethau yr oeddwn am eu gwneud mor fuan ag y gallwn. Un o'r pethau hynny oedd mynd i siop Gwilym Lewis i gasglu'r lluniau o Iwerddon. Roedd mis wedi mynd heibio er pan euthum â'r ffilm i'w ddatblygu. Roedd hynny'n fwy na digon o amser i'r siopwr, wedi dychwelyd o Lundain, ddanfon y ffilm i ffwrdd a chael y lluniau 'nôl.

Roedd Guto a Siôn yn chwarae criced ar y lawnt pan euthum ar hyd y llwybr at y glwyd. Bowliai Guto bêl feddal at ei frawd bach, yn garedig ddifalais. Er i mi lwyddo i gael yr hynaf o'r bechgyn i fatio'n llawdde, fe fynnodd Siôn fatio'n llawchwith fel ei dad. Taflodd y bat i'r llawr cyn i mi gyrraedd y glwyd.

*Ble r'ych chi'n mynd?*

*I'r pentref.*

Cydiodd yn fy llaw.

*'Alla'i ddod?*

Tynnais ei law yn rhydd, ei droi at y tŷ, a rhoi clatsien chwareus ar ei ben ôl.

*Aros di gyda Guto. 'Fydda'i ddim yn hir.*

Pan gyrhaeddais waelod y stryd, edrychais yn ôl i weld a oedd y gwalch wedi fy nilyn. Roedd e ar y pafin, ond wrth y tŷ o hyd, a'i ysgwydd yn erbyn piler y glwyd. Cododd ei law. Codais innau fy llaw, a mynd rownd y tro i'r ffordd fawr. Yn ffenestr ffrynt Miss Evans, Tŷ Cornel, gwelwn y llenni les yn symud. Dyw'r ast fusnesgar yn colli dim. Teimlwn fel gweiddi ar dop fy llais "Hylo Miss Ifans! 'Welsoch chi rywbeth diddorol yn ddiweddar?". Mae'r hen wrach surbwch yn gwybod busnes pawb. Tybed a ydy hi'n gwybod stori Meri Tanner a'i mam? Siŵr o fod. Mae'n gwybod popeth myn diawl i! Ond dyw hi ddim yn gwybod amdana'i yn Iwerddon. Dyw hi ddim yn gwybod am barti Mulcahy ac am Jack Bassett. Dyw hi ddim yn gwybod am gorff ystwyth Maria, y ciwpid ar y lawnt, a Morag yn stydi Huw Llywelyn.

Doeddwn i ddim wedi meddwl llawer am y daith i Iwerddon ar ôl bod yn nhŷ Meri Tanner y prynhawn hwnnw. Fe fu twrista rhwng bryniau Eryri a chylch-deithio ar faes yr eisteddfod yn waith amser-llawn am dair wythnos, ac ni chawn gyfle i eistedd yn dawel a hel meddyliau. Ond ar y ffordd i'r pentref a siop Gwilym, fe ddaeth y daith yn ôl yn fyw. Yn enwedig Cappoquin a Melleray. A fyddai'r lluniau'n iawn? Roedd hi'n bwysig fod llun bedd Thomas Rawlins yn weddol glir. Roedd ei weddw yn disgwyl copi o'r llun hwnnw. Os byddai'r llun yn iawn, fe ddanfonwn hwnnw iddi, a chael Gwilym i wneud copi i mi'n ddiweddarach o'r negatif.

Y bwthyn ym Melleray. Lle tlawd oedd hwnnw hefyd. Ond dipyn glanach na thŷ Meri Tanner. Tybed a oedd y ddwy wraig yn perthyn wedi'r cyfan, yn perthyn drwy briodas? Roedden nhw mor wahanol, Meri a'i gwynegon, yn cael gwaith symud. Yr hen frat diraen hwnnw, a'r llopanau tenau. A'r llygoden. A'r anialwch o ardd. Mor wahanol oedd yr ardd ym Melleray. Ond roedd gweddw Thomas Rawlins, er ei bod mor hen â Meri Tanner, yn wraig iach. Edrychai mor gryf, mor gadarn. Roedd ganddi ddwylo uffernol o fawr, fel dwylo llabwst o ddyn caib a rhaw, dwylo trwchus, trymion. A'r ffedog honno, fel ffedog mam-gu Primrose Row yn llun y teulu 'slawer dydd, carthen drom o ffedog lydan ddu, a'r hen wraig fel petai hi wedi camu allan o un o ddramâu Synge, dramâu celyd y mawn a'r môr a litanïau'r pedwar gwynt, dramâu'r pridd ar droed y golomen wen. Roedd yr olygfa'n taro i'r dim—y bwthyn unllawr bychan, a nenfwd isel yr ystafell yn gwasgu'r tywyllwch fel nos i'r corneli. Roedd bord hir ar ganol y llawr, a'r pren wedi ei sgwrio'n wyn fel y carlwm, bord addas i gyrff hallt y meibion petai ganddi feibion yn forwyr. Fe'i gwelswn ar lwyfan, yn drist wrth draed y llanc marw, a llafargwynfan y gwragedd yn codi o hiraeth y dŵr. Maurya ydoedd, yn hen ar ynysoedd Aran, gwraig rychlwyd mewn ffedog ddu.

*Da chi 'machgen i* meddai, *danfonwch i mi gopi o'r llun.*

A'r deigryn araf, perlyn gwan igam-ogam, yn serennu yng ngwyll ei chegin.

*Shw'mae'i! Rwy'i wedi galw i weld a ydy'r lluniau 'na'n barod.*

Safai Gwilym Lewis yn blwmp y tu ôl i'w gownter, ei ben moel yn disgleirio gan oleuadau nos y metropolis.

*Reit! Ydy'r slip gyda chi? Y darn papur gawsoch chi?*

*Y papur? O . . . y papur a rhif y ffilm arno. Na, does genn'i ddim syniad ble mae hwnnw, mae arna'i ofn. Mae'r plant yn bwyta pethau fel'ny yn tŷ ni! Ond rwy'n cofio i mi ddod â'r ffilm i chi ryw fis yn ôl. Rhaid bod gyda chi ryw gownt ohono.*

*Mi edrycha'i, ond byddai'n haws petaech chi heb golli'r papur.*

*Mae yn ddrwg genn'i.*

Tynnodd focs o ddrôr, a chwilio.

*Pryd, dd'wedsoch chi, ddaethoch chi â nhw i mewn?*

*Ryw fis yn ôl . . . rhywbeth felly.*

*Mm . . . Dydyn nhw ddim yma beth bynnag. Mi â'i i'r cefn i edrych.*

Diflannodd drwy ddrws i'w ystafell gefn, a chwilio yno. Fe ddaeth 'nôl, a gwên ar ei wyneb.

*Dyma nhw! Ugain o luniau lliw. Rhai da iawn hefyd os ca'i ddweud.*

*Does genn'i ddim camera da iawn, ond mae e'n gwneud y tro—snaps y teulu a rhyw bethau felly.*

Edrychodd yn fanwl drwy'r pecyn.

*Lluniau'ch gwyliau chi?*

*Ie, rhyw luniau dyns o'ni yn Iwerddon fis Gorffennaf.*

*Fuoch chi yn Iwerddon! Roeddech chi'n mentro!*

*Yn y de fuo'ni, lawr yn y gwaelod; roedd hi'n ddigon saff yno.*

Rhoddodd y pecyn lluniau mewn cwdyn papur.

*'Fuoch chi yn Sbaen erioed?*

*Naddo, ddim yn Sbaen.*

Gwasgodd stribed o *sellotape* dros blyg y cwdyn papur.

*Dyna chi le bendigedig. 'Fues i yno eleni, am bythefnos—yn*

*Alicante. Hedfan o Gaerdydd . . .*

Ac fe roddodd i mi amlinelliad o'i bythefnos fendigedig yn Sbaen.

*. . . hyd y gwn i does dim llawer yn mynd i Sweden. Bydd yn hyfryd darganfod lle newydd, a lle mor wahanol.*

*Bydd yn wahanol iawn i Sbaen mae'n siŵr.*

Estynnodd i mi'r cwdyn papur, a rhoddais innau bapur pumpunt ar y cownter. Crychodd y siopwr ei dalcen.

*Dwy'i ddim yn meddwl bod genn'i ddigon o newid. Does gyda chi ddim llai na phapur pumpunt?*

*Na, mae'n ddrwg genn'i.*

Tynnodd bwrs trwchus o'i boced.

*Arhoswch chi, efallai bod genn'i ddigon yn y pwrs 'ma.*

Ymbalfalodd am dipyn cyn tynnu allan ddyrnaid o ddarnau arian.

*Dyma chi . . .*

Cefais fy newid i'r ddimai, dim mwy, dim llai, a'r lluniau. Ac yno yng nghanol y pecyn yr oedd yr un llun yr oeddwn mor awyddus i'w weld. Fe'i gwelswn, wyneb i waered, pan oedd y siopwr yn edrych drwyddyn nhw.

Wedi cyrraedd y stryd, tynnais y *sellotape* i ffwrdd, agor y bag papur, a chwilio'r pecyn am lun bedd Thomas Rawlins. Roedd y llun yn iawn, yn eglur ddigon. Fe gâi'r hen weddw ei chopi o'r llun. Ac fe gâi bleser o ryw fath wrth ddal enw difywyd ei gŵr yn y dwylo trymion, a rhoi deigryn arall yn seren i wyll ei chegin.

Roedd y bechgyn yn dal i chwarae criced pan gyrhaeddais y tŷ. Roedd Siôn yn rhedeg at y wiced i fowlio pan agorwn y glwyd. Fe arhosodd, a'r bêl yn ei law, i ofyn

*Ydych chi wedi dod â rhywbeth i ni?*

*Dim.* Mewn gwirionedd roedd genn'i siocled yn fy mhoced. *Dim ond fi'n hunan! Dyw hynny ddim yn ddigon da i chi?*

*Taffus o'wn i'n meddwl, nid chi!*

Euthum i'r tŷ i ysgrifennu llythyr a rhoi llun mewn amlen.

Ar ôl te, fe gafodd y ddau gricedwr ddod gyda mi i bostio'r llythyr i Melleray. A chael eu siocled yr un pryd.

Yn hwyr y noson honno, fe gafodd Gwen a minnau siocled hefyd—mewn cwpan o flaen y set deledu. Pan ddaeth y ffilm i ben, roedd Gwen yn pendwmpian yn y gadair-esmwyth, yn barod am wely a chwsg.

*Dwy'n cysgu ar 'y nhrwyn* meddai, gan estyn ei breichiau yn hir at y nenfwd. *Beth oedd y diwedd?*

*Diwedd y ffilm 'ti'n feddwl?*

*Ie.*

*Doedd 'no ddim diwedd mewn gwirionedd. Fe gerddodd y boi 'na o'r ystafell, a dyna ni!*

*Arhosodd e ddim gyda hi wedi'r cwbl?*

*Naddo.*

*O wel, dwy'i'n mynd i fyny. Wyt ti'n dod?*

*Rwy'i am sgrifennu gair bach neu ddau yn y dyddiadur, 'na gyd.*

*Paid â bod yn rhy hir, a gad y llestri tan y bore. O.K.?*

*Reit.*

Aeth Gwen i'r gwely, yn flinedig ar ddiwedd dydd arall, i gysgu, ac i fyw am ychydig yn ei breuddwyd. Pan awn innau ati, i orwedd ar ei phwys, byddai ei chorff noeth yn gynnes, ei llygaid ynghau, ei hanadl yn esmwyth. Fe'i cofleidiwn, rhoi cusan ysgafn ar ei gwegil, a theimlo'i gwallt yn goglais fy wyneb. Fe gysgwn, ambell waith yn ddeugorff ynghlwm, ran amlaf yn ddeugorff ar wahân. Ond fe gysgwn beth bynnag am y cyrff, yn ein meddyliau ein hunain, yn cofio ddoe, yn meddwl am yfory. Ddoe, heddiw, yfory. 'Does 'no ddim diwedd mewn gwirionedd, dim ond cyfresi o ddiweddebau.

Euthum â'r llestri, y cwpanau siocled, i'r gegin. Fe'u golchwn drannoeth. Llestri heddiw yn nŵr yfory. Arferai mam ddweud wrthyf pan oeddwn yn grwt "Fe'i cei di fe yfory!", a thrannoeth gofynnwn "Ydy 'fory wedi dod?" Ond dyw yfory byth yn cyrraedd.

Am hynny y meddyliwn wrth fynd i'r stydi i ysgrifennu yn fy nyddiadur, dyddiadur bylchog iawn am nad wyf yn gofnodwr cyson a disgybledig, ond dyddiadur er hynny sy'n dweud rhywbeth am yr hyn a fu wrth ddisgwyl am yfory.

Eisteddais wrth fy nesg a chymryd y llyfr trwchus o'r drôr. Roedd hi'n hwyr y nos, ond tynnais y llenni 'nôl i weld y sêr, a'r coed yng nghefn y tŷ. Chwe phinwydden uchel y tu draw i'r gwydr, yn farrau syth rhyngof a rhyddid y sêr. Fe'u gwelwn yn glir yn erbyn yr awyr, yn plygu'n nes at ei gilydd yn y gwynt. Bu'n ddiwrnod heulog a braf; roedd hi'n noson wyntog, ac roedd 'no gwynfan rhwng canghennau'r coed. Ni allwn lai na meddwl am Gwladys Rhys—

*Pan oedd y gwynt yn cwyno drwy y pîn*

—yn mynd allan drwy'r eira ar noson Seiat a Chwrdd Dorcas. Fy hoff gerdd. Merch ifanc ar ddistaw droed? Enaid yn mynd yn rhydd o hualau'r corff? 'Dwn i ddim. Ond rwy'n deall ei rhwystredigaeth.


Dydd Llun                                                Awst 13eg.

Deffro'n hwyr, codi'n hwyrach. Treulio'r bore cyfan yn gwneud dim byd ond ateb llythyron. Dim o anhraethol bwys.
Yn y prynhawn, mynd i gasglu lluniau Iwerddon o siop Gwilym Lewis.
Lluniau da iawn. Ysgrifennu llythyr at Michael Rawlins ym Melleray, ac amgau'r llun o fedd ei dad yn rhodd i'w fam. Hanner awr o griced ar y lawnt. Ceisio cael Siôn i fatio'n llawdde. Amhosibl!
Ar ôl te, postio'r llythyr i Iwerddon, ynghyd â'r llythyron eraill. Mynd â'r bechgyn am dro i'r allt. Dringo'r coed!
Ar ôl swper, a'r bois yn cysgu'n dawel yn eu gwelyau, gwylied ffilm deledu gyda Gwen.
Noson wyntog, a Gwladys Rhys druan yn hongian o gwmpas y pinwydd yng nghefn y tŷ. Fe aiff 'nôl cyn bo hir i orwedd yn nyffryn angof.


Efallai y bydd gennyf fwy i'w ysgrifennu yfory. Rwyf am wneud dau beth. Y peth cyntaf yw mynd i chwilio am enw. Enw 'nhad yn llyfr mawr y llosgiadau. Mae ganddyn nhw lyfr felly rwy'n deall. Gofynnaf am weld yr enw, ei ddarllen ar y papur, rhoi fy mysedd ar y llythrennau . . .

Glywi di hynny, glywi di yn nyffryn angof? Ym mrigau du y pîn, a rhwng y sêr, a glywi di? Rwyf am roi fy llaw ar enw dy gnawd. Y dwylo agored hyn, lle bu'r cerrig yn nythu mor hir. Edrych ar y dwylo digarreg hyn, a chred nad oes ynof bellach ddiferyn o'r gwenwyn a fu'n duo fy ngwaed cyhyd. Yn dy wely tragwyddol o fflam glân, lle trig y gwylanod y tu draw i'r haul, gorffwys yn y cof am lwybrau yr adar yng nghoed y mynydd, prynhawniau y rhedyn a'r grug ar y bryn uwchben y cwm. Ac yn y gorffwys bythol, llefara dy faddeuant i'r mab a losgodd dy gân, a rwygodd y geiriau am atgof dy lwybrau cynnar dy hun yn y cwm chwerthin, a luchiodd y callestr miniog i wyneb ei dad. Bydd yno, yfory, yn llyfr y llosgiadau o dan fy llaw. A rho i mi wres dy gerdd, fel y rhoddaist i mi gynhesrwydd dy gnawd . .

Mae gennyf ddau beth i'w gwneud yfory. Gweld enw. A llunio cerdd.

*Hoffai'r cyhoeddwyr a'r awdur ddiolch i Wasg Gomer a Gwasg Gee am eu caniatâd parod i gynnwys y dyfyniadau hynny y mae eu hawlfraint yn eiddo i'r gweisg uchod.*